Germanistische Abhandlungen

Frank Wedekinds Dramen

FRIEDRICH ROTHE

Frank Wedekinds Dramen

JUGENDSTIL UND LEBENSPHILOSOPHIE

J. B. METZLERSCHE
VERLAGSBUCHHANDLUNG
STUTTGART

GERMANISTISCHE ABHANDLUNGEN 23

 Satz und Druck H.Laupp jr Tübingen
Printed in Germany
D 188

Inhaltsverzeichnis

Vorbemerkung

Für seine große Hilfsbereitschaft bin ich Herrn Professor Peter Szondi sehr zu Dank verpflichtet; seine kritische Anteilnahme hat meine Arbeit wesentlich gefördert. Die großzügige Erlaubnis von Frau Tilly Wedekind, Frau Pamela Wedekind-Regnier und Frau Kadidja Wedekind-Biel ermöglichte die Berücksichtigung des Wedekind-Nachlasses, der für die Arbeit von besonderer Wichtigkeit war. Dem Direktor der Münchener Stadtbibliothek, Herrn Dr. Hans Schmeer, danke ich für den Zugang zu den Manuskripten, Herrn Bibliothekar Richard Lemp für seine unermüdliche Hilfe.

Friedrich Rothe

Einleitung

Frank Wedekind gilt als ein Wegbereiter, dessen Werk sich mit der Literatur seiner Epoche kaum berührt. Vor allem sein antinaturalistischer Stil, den schon das erste Drama »Der Schnellmaler« (1889) aufweist, verleitete dazu, seine Dramatik von der Literatur um die Jahrhundertwende zu isolieren. Am häufigsten erkannte man in Wedekind einen frühen Expressionisten[1]; der sozialistische Kritiker Paul Rilla suchte ihn als Lehrer Sternheims zu retten[2]; Th.W. Adorno sieht in Wedekinds Werk ein Präludium des Surrealismus[3]. Um den lange Zeit verrufenen Dichter vor weiterer Verkennung zu bewahren, betonen diese Interpreten jene Momente, die auf die Moderne hinführen und durch die Hochschätzung des Expressionismus, der Bürgersatire Sternheims und des Surrealismus ihre Rechtfertigung gefunden haben. In Wilhelm Emrichs Aufsatz »Die Lulu-Tragödie« wurde dagegen zum ersten Mal ein Drama Wedekinds immanent interpretiert[4], und es öffnete sich der Weg zu einer Betrachtung, welche diesen Dichter gerade im Zusammenhang mit der Literatur seiner Zeit zu würdigen sucht. Auf diesem Wege soll hier fortgeschritten werden.

Die literaturwissenschaftliche Einteilung des Zeitraums von 1890 bis 1905 in Naturalismus, Impressionismus und Symbolismus, gegen die sich in den letzten Jahren schon Einwände erhoben haben,[5] büßt ihre Relevanz vollends ein, wenn man davon abläßt, die einzelnen Werke trotz offensichtlicher „Stilbrüche“ auf bestimmte Stile zu verpflichten und diesen literaturgeschicht-

[1] vgl. Fechter, Frank Wedekind, Der Mensch und das Werk. Jena 1920, S. 167f. Kutscher, Frank Wedekind, Bd. III, S. 277f. Schulte, Die Struktur der Dramatik Frank Wedekinds. Diss. Göttingen 1954.

[2] Auseinandersetzung mit Wedekind. In: Essays, Berlin 1955, S. 195f.

[3] Rede über Alban Bergs Lulu. In: Frankfurter Allgemeine Zeitung, 19.I.1960, S. 12.

[4] Frank Wedekind, Die Lulu-Trägödie. Zuerst in: Das deutsche Drama vom Barock bis zur Gegenwart, Düsseldorf 1958, Bd. II, S. 207ff. Wiederabgedruckt in: Protest und Verheißung, Frankfurt–Bonn 1960, S. 206ff. (Im folgenden Text wird nach »Protest und Verheißung« zitiert).

[5] vgl. David, Stefan George und der Jugendstil. In: Formkräfte der deutschen Dichtung vom Barock bis zur Gegenwart, Göttingen 1963, S. 211 und S. 224f.

lichen Abschnitt vor dem Hintergrund lebensphilosophischen Denkens sieht. In der Lebensphilosophie, die aus der Ablehnung des Positivismus entstand, erscheint das Sein unter dem Begriff des „Lebens“, das die Gegensätze von Subjekt und Objekt, Natur und Geschichte aufhebt. Die Dynamik des Lebens wird jedoch nicht nur als Beglückung erfahren, sondern ebensosehr als ein Kampf ums Dasein, der die Naturgeschichte verewigt. So eignet dem lebensphilosophischen Denken der Jahrhundertwende eine Zweideutigkeit: einmal werden Natur und Geschichte von der einzigen physisch-metaphysischen Kategorie der Kausalität bestimmt gesehen, vor der nur der Tod eine Zuflucht bietet, zum anderen wird dem Naturhaften – dem „Leben“ – die Kraft zugesprochen, den Zwang zumindest der Geschichte aufzuheben und ein neues Zeitalter herbeizuführen. Beides schließt sich so wenig aus, daß Georg Simmel seine Abhandlungen über Schopenhauer und Nietzsche, die für die Lebensphilosophie der Jahrhundertwende wegweisend sind, so beschloß:

> Indem wir die Schwingungen des geistigen Daseins durch den ganzen Abstand dieser Gegnerschaften hin empfinden, dehnt sich die Seele – auch wenn und gerade wenn sie für keine der Parteien dogmatisch verpflichtet ist – bis sie die Verzweiflung über das Leben und den Jubel über das Leben als die Pole ihrer eigenen Weite, ihrer eigenen Kraft, ihrer eigenen Formfülle umfassen und genießen darf.[6]

Die Polarität von Verzweiflung und Jubel über das Leben tritt bei Gerhart Hauptmann in dem Verhältnis des sozialen Dramas »Die Weber« zu dem Märchendrama »Die versunkene Glocke« hervor. Während das naturalistische Werk keinen „Helden“ hat und in ihm nur der Märtyrer Hilse seinen Frieden findet, gestaltet »Die versunkene Glocke« das Schicksal eines „Höhenmenschen“, der daran scheitert, daß er die Bindung an die Menschen unten im Tal nicht gänzlich zu lösen vermag, aber sterbend den Anbruch der Morgenröte herbeiführt. Der Naturalismus der »Weber« ist nicht so sehr sozialkritische Anklage als vielmehr Ausdruck eines Pessimismus, dem die Welt als Jammertal erscheint. In der »Versunkenen Glocke« hingegen soll das Märchenhafte ein neues naturnahes Leben antizipieren, in welchem sich die Menschen vom Banne der Geschichte gelöst haben.

Die lebensphilosophische Thematik in der Literatur der neunziger Jahre hat bisher nur Elisabeth Klein eingehend behandelt.[7] Ihre Arbeit übertrifft durch

---

[6] Schopenhauer und Nietzsche, Ein Vortragszyklus. München–Leipzig (1907) [3]1923 S. 192.

[7] Jugendstil in der deutschen Lyrik. Diss. Köln 1957.

sachhaltige Motivanalysen und durch die Einbeziehung auch der theoretischen Schriften jener Epoche alles, was bisher über literarischen Jugendstil geschrieben wurde. Elisabeth Klein beschränkt sich jedoch wie alle, die dieses Gebiet betraten, darauf, solche Gedichte zu interpretieren, deren Bildlichkeit der Jugendstil-Illustration derart nahesteht, daß die Zugehörigkeit dieser Lyrik zum Jugendstil auf der Hand liegt.[8] Stammt der Begriff Jugendstil auch aus der Kunstgeschichte, die auf eine gefestigte Forschungstradition in diesem Gebiet zurückblicken kann,[9] so hat doch allem Anschein nach ein literarisches Werk der Zeitschrift, deren Illustrationen und Ornamente das Wort „Jugendstil" in Umlauf brachten, den Namen gegeben: Georg Hirth, der anpassungsfähige Verleger der Münchner »Jugend«, eignete sich den Titel von Max Halbes »Jugend« an, einem heute nahezu vergessenen Drama, das damals einen beispiellosen Erfolg hatte.[10] Ohne die Genesis des Namens überzubewerten, läßt sich an ihr dartun, daß die Erforschung literarischen Jugendstils sich nicht auf den Vergleich von Kunst- und Literaturgeschichte beschränken darf, weil eine führende Stellung der bildenden Künste literarische Werke nur als Imitationen graphischer oder kunstgewerblicher Vorbilder erscheinen ließe und den Blick auf den genuinen Anteil am Jugendstil verstellte, der für die Literatur hier nachgewiesen werden soll. Der „große Jugendstil", von dem einmal Max Horkheimer, an Nietzsche, Freud und Ibsen denkend, im Unterschied zum dekorativen Jugendstil gesprochen hat,[11] ist keine Flucht ins Ornamentale, keine leichtfertige Regression ins Naturhafte. Als

---

[8] Paul Requadt, der vor kurzem von dieser Übung abging und Jugendstilhaftes im Frühwerk Thomas Manns untersuchte, beschränkte sich darauf, einzelne Bilder und Symbole in den Novellen dem Jugendstil zuzuordnen. Requadt erscheinen die Dichter der neunziger Jahre einander so fremd, daß er in der gemeinsamen Verehrung für den Maler Ludwig von Hofmann ihr einziges Bindeglied zu sehen glaubt. Vgl. Requadt, Jugendstil im Frühwerk Thomas Manns. In: DVjs XL (1966), S. 207.

[9] Hermand, Jugendstil, Ein Forschungsbericht (1918–1962). In: DVjs XXXVIII (1964), S. 70–110 und S. 273–315.

[10] Daß Georg Hirth spazieren-gehend beim Blick auf die Waldlichtung »Jugend« den Titel für seine neue Zeitschrift gefunden haben soll (vgl. A. de Nora, Am Färbergraben, Leipzig 1932, S. 5f.), mutet wie eine Legende an, die den literarischen Zusammenhang in ein Naturerlebnis umdeutet und kennzeichnend für das ist, was den Jugendstil in Verruf brachte. Max Halbe, der mit Hirth eng befreundet war, hat es sich nicht nehmen lassen, bei seiner Würdigung des Verlegers daran zu erinnern, daß die Münchner »Jugend« etwa drei Jahre nach seiner eigenen »Jugend« ins Leben trat (vgl. Halbe, Jahrhundertwende. S. 356).

[11] Ansprache im Namen der Philosophischen Fakultät der Universität Frankfurt a.M. In: Freud und die Gegenwart, Frankfurt a.M. 1957, S. 33. (Frankfurter Beiträge Bd. VI).

Antwort auf das Anwachsen der Vergesellschaftung, die in Deutschland nach der Gründung des Kaiserreiches und der Industrialisierung in den siebziger Jahren bedrohlich erschien, verbindet sich in ihm hellsichtige Kritik, vor allem der psychologischen Komponenten von Herrschaft, mit der Setzung eines emphatischen Begriffs von Natur. Diese wird vom Bürgertum und seiner „Sklavenmoral" unterdrückt, besitzt aber gleichwohl in diesem Denken als „Leben" eine ins Mythische übersteigerte Geltung. Natur kann mythisiert und verherrlicht aber auch als so bedrückend aufgefaßt werden wie die gesellschaftliche Pression. Der Zwang der Gesellschaft kann mit dem der mythisierten „Natur" identisch erscheinen, so daß nur die Flucht aus dem Leben Erlösung verheißt.

Diese Spannung von Gesellschaftskritik einerseits und Hoffnung auf die „Natur" oder Erlösung im Scheinhaften andererseits, ein Konflikt, der den Philosophen Nietzsche im »Zarathustra« zur Vision des „Übermenschen" führte und den Dramatiker Ibsen Hedda Gablers Schönheits- und Todesverlangen feiern ließ, hat in Wedekinds Werk einen einzigartigen Ausdruck gefunden. Jene Spannungsmomente führen bei ihm zu einer Dialektik, die seine Dramen in ein neues Licht rückt; seine Hauptwerke offenbaren ihre innere Geschichte als Stadien des Lösungsversuchs. In »Frühlings Erwachen« werden die autoritären Ordnungen von Familie und Schule mit der Naturkraft des Sexus konfrontiert. Der Ausgang dieses Kampfes ist zwiespältig: es gelingt dem Helden zwar, aus der Korrektionsanstalt, dem barbarischen Bollwerk bürgerlicher Sittlichkeit, zu entfliehen, aber der „vermummte Herr" nimmt einen Zweifelnden mit sich ins Leben fort. In »Erdgeist« hingegen setzt der Untergang der Männer die bürgerliche Ordnung außer Kraft. Lulu triumphiert im Zeichen mythischer Naturhaftigkeit. In der »Büchse der Pandora« erfährt diese emphatische Setzung jedoch ihre Umkehrung. Lulu entrinnt dem Gefängnis nur, um unter dem Messer Jacks the Ripper zu enden. Sie ist nur eines unter den Opfern Jacks, der an Prostituierten die brutale Gewalt einer puritanischen Gesellschaft übt. Dieser Sieg der schlechten Realität spiegelt sich im »Marquis von Keith«, Wedekinds letztem großen Werk. Hier wird nicht mehr die bürgerliche Ordnung durch den Helden in Frage gestellt, sondern nur noch das Scheitern der Anpassung gestaltet. Wedekind gelangt unter umgekehrten Vorzeichen zu seinem Ausgangspunkt zurück. Behielt in »Frühlings Erwachen« der „vermummte Herr", indem er Freiheit und neue Erfahrung verspricht, die Oberhand über den Todeswunsch des Helden, so versucht Keith erneut sich anzupassen und schöpft aus einigen Geldscheinen, dem Inbegriff bürgerlicher Werte, neue Hoffnung. Der Auszug

aus der bürgerlichen Enge ins „Leben“ hat sich in das Streben des Abenteurers nach Reputation verkehrt.
Die Thematisierung des Verhältnisses von „Natur“ oder „Leben“ und Gesellschaft bildet nicht nur als Einheit des Problems den inneren Zusammenhang der Dramen, sondern spiegelt sich vielfältig in den einzelnen Werken selbst. Sie tritt vor allem an stilistischen Widersprüchen hervor, die bisher von der Forschung übersehen oder als unbedeutende Stilschwankungen vernachlässigt wurden. Diese „Stilbrüche“, an denen sich die oben skizzierte innere Problematik nachweisen läßt, stehen im Zentrum der Untersuchung.
Das literaturtheoretische Kapitel untersucht die lebensphilosophischen Implikationen der Dramatik der neunziger Jahre. Dabei soll diese Dramatik nicht mit Hilfe der zeitgenössischen Kritik und des Selbstverständnisses der Dichter auf einen lebensphilosophischen Gehalt reduziert werden. Die Darstellung der lebensphilosophischen Intention erhellt vielmehr die fruchtbare Spannung, in der sie als Intention zum kritischen Gehalt von Wedekinds Dramen steht.
Daß literarischer Jugendstil eine Bezeichnung für eine Epoche sei, die nicht beliebig ausgedehnt werden kann, ist an Wedekinds Spätwerk zu prüfen. Wedekind sucht hier das monumentale Drama zu erneuern, dem er mit seiner Kindertragödie »Frühlings Erwachen« einst selbst den Abschied gegeben hatte. Im affirmativen Gegenentwurf des Spätwerks wird die Distanz deutlich, welche die früheren Dramen als literarischer Jugendstil zum Bürgertum wahrten.

I

Die Kindertragödie

In den Jahren 1890/91 schrieb Frank Wedekind nach den beiden Lustspielen »Der Schnellmaler« und »Kinder und Narren«, die als Versuche gelten müssen, »Frühlings Erwachen«. Dieses Werk inauguriert einen neuen Dramentypus: die Kindertragödie. Unter ihrem Zeichen folgten 1893 Halbes »Jugend«, 1894 Hauptmanns »Hannele« und Ibsens »Klein Eyolf«, 1895 »Wie ein Strahl verglimmt« von Kurt Martens.[1]

---

[1] Wedekind mußte sich noch in späterer Zeit gegen den Vorwurf verteidigen, daß seine Kindertragödie in Abhängigkeit von »Jugend« und »Hannele« entstanden sei. In seinem Notizbuch 58 (um 1908) Bl. 60[v] heißt es: „Ein *literarischer Irrthum* Ein weitverbreiteter literarischer Irrthum besteht in der unrichtigen Annahme, daß die »Jugend« von Max Halbe früher entstanden sei als »Frühlings Erwachen« von Frank Wedekind. Da schreibt z.B. noch vor kurzer Zeit ein Berliner Kritiker ‚... diese gewichtige »Jugend«, die das beste von dem vorweggenommen, was Frank Wedekind später in seinem »Frühlings Erwachen« gebracht hat‘. Derartige Betrachtungen beruhen entweder auf Irrthum oder auf bewußter Fälschung. Halbes Jugend wurde im Jahr 1893 zum ersten Mal in Berlin aufgeführt und erschien auch im selben Jahr als Buchausgabe, während Wedekinds Frühlings/[Bl. 61[r]] Erwachen schon im Oktober 1891 gedruckt vorlag. Nun stände immer noch die Möglichkeit offen, daß Halbe bei Abfassung seiner Jugend Wedekinds Kindertragödie nicht gekannt hat. Diese Möglichkeit ist aber vollständig ausgeschlossen. Am 7. September 1892, also kurz nach Vollendung seines Dramas »Der Eisgang« unterzeichnet sich Halbe auf einer offenen Postkarte, die eine größere Gesellschaft von Ammerland am Starnberger See an Frank Wedekind nach Paris schickt und die folgenden Wortlaut hat:

Mr. Frank Wedekind
in Paris
rue de Crébillon

[Bl. 61[v]] Ammerland am Starnberger See 7. IX. 92.
Auch hier giebt es ein ‚Frühlingserwachen‘!
Mein Hoch, Prosit!
Achtung dem Fühlings Erwachen! – Schaumberger
Mimi Schaumberger
Gruß Luise Halbe, Verehrerin von ‚Frühlingserwachen‘ Desgleichen Max Halbe, der sich mit Ihnen jetzt vor zwei Jahren oft gezankt hat, zwischen 1–2 Uhr Nachts! Erinnern Sie sich? Habe die Absicht über das famose Stück zu schreiben. H
Ein Außreißer grüßt Sie: vive moulin rouge,
vive la damselle [?] – au lavoir! Richard

Die Kindertragödie verabschiedet den Helden des traditionellen Dramas; mit den Kinderfiguren geht der Bereich vor der Individualität als Stück menschlicher Naturgeschichte ins Drama ein.[2] Sie thematisiert Infantilität und richtet sich gegen den gesellschaftlichen Zwang, der sich in der Gewalt der Erwachsenen über Kinder reproduziert. Kinder erscheinen als Metaphern der Natur und stehen für ihre Unschuld jenseits von Moral wie für die Ursprünglichkeit des Geschlechtlichen als Lebenskraft ein. Die Kindertragödie gestaltet das Schicksal, das kindlich-unschuldige Natur in einer lebensfeindlichen, von der »Lüge« zehrenden Gesellschaft erleidet. Nicht zufällig findet sich in Wedekinds Notizbuch aus der Zeit der Entstehung von »Frühlings Erwachen« neben anderen Kindernamen der Name Hedwig Ekdals, der vierzehnjährigen Heldin der »Wildente«;[3] schon den Zeitgenossen ist die besondere Stellung des Kindes in diesem Drama Ibsens nicht entgangen. So bemerkt Julius Duboc im Jahre 1889:

> An diesem Schauspiel, das übrigens ebensogut und besser als Trauerspiel bezeichnet werden könnte, ist vor allen Dingen das Auffallende, daß es dem Verfasser beliebt hat, überall und durchweg die niedere Natur festzuhalten, keinen Schritt über das Mittelmaß der Menschennatur hinaus zu thun, – mit einziger Ausnahme des Kindes, welches gewissermaßen den Mittelpunkt der Handlung abgibt, die Stelle, an der sich eine Combination von Umständen zum tragischen Geschick zusammenballt. Das Kind vermag tragisch zu wirken, weil es mit seiner reinen Liebe zum Vater, die es ganz erfüllt, über das Mittelmaß hinausragt, weil es sich

---

[Bl. 62r] Halbe hat die Absicht über das Stück zu schreiben unseres Wissens nicht ausgeführt, wohl aber erschien im darauf folgenden Jahr die »Jugend«, deren ursprüngliche Frische damals schon in Lesern, denen beide Stücke bekannt waren, Erinnerungen an Wedekinds Frühlings Erwachen wachrief. Jedenfalls braucht sich Wedekind nach Feststellung dieser Thatsachen kaum mehr vorwerfen lassen, daß ihm Max Halbe mit seiner Jugend irgend etwas vorweg genommen habe." Vgl. auch Kutscher, Frank Wedekind, Bd. I, S. 245 und Bd. II, S. 75. Im Folgenden zitiert als Kutscher. Noch in der 10. Auflage von Fricke/Klotz, Geschichte der deutschen Dichtung, Hamburg–Lübeck 1964, ist Max Halbes »Jugend«: „Ein zahmer, in seinen besten Stellen fast volksliedhafter Vorklang von »Frühlings Erwachen«, [...]." (S. 321). Schon die von Publikum und Kritik hergestellte Beziehung zwischen diesen stilistisch so unterschiedlichen Dramen verweist auf ihre Identität als „Kindertragödien".

[2] Der Auftritt von Kindern unter dem Aspekt naturgeschichtlichen Handelns ist ein weiteres Indiz für die Episierung des modernen Dramas. Vgl. Szondi, Theorie des modernen Dramas. Frankfurt[3] 1963.

[3] siehe Kutscher, Bd. I, S. 235.

dadurch zu einer, wenn auch nur kindischen, heldenmüthigen Opferthat aufrafft.[4]

In der »Wildente« vertritt jedoch das Kind noch nicht das von den Erwachsenen gänzlich Verschiedene; trotz einiger für das Pubertätsalter typischer Züge läßt Ibsen seine Heldin die Handlung vollziehen, vor der die Erwachsenen zurückschreckten: Hedwig nimmt sich mit der Pistole das Leben, angesichts derer Vater und Großvater sich zum Vegetieren entschlossen haben. Moralisches Handeln aber ist den kindlichen Figuren der Kindertragödie fremd; ihr Ziel ist Restitution der sich in Kindern noch unverfälscht manifestierenden menschlichen „Natur", das sie auf widersprüchliche Weise anstrebt. Sie trägt der gesellschaftlichen Realität Rechnung und versetzt die kindliche Natur um den Preis des Todes in die Sphäre des Scheinhaften, ebenso aber sucht sie, durch die Darstellung pubertärer Sexualität das Leben selbst zu evozieren, das die gesellschaftliche Realität suspendiert.
Walter Benjamin trifft das eine Moment der Verklärung des kindlich Unfertigen, wenn er sagt: „Das Grundmotiv des Jugendstils ist die Verklärung der Unfruchtbarkeit. Der Leib wird vorzugsweise in den Formen gezeichnet, die der Geschlechtsreife vorhergehen."[5] Der konsequente dramatische Ausdruck dieser Unfruchtbarkeit ist der Tod des Kindes in der Kindertragödie. Das Sterben Hanneles wird zur „Himmelfahrt" verklärt, welche ihre kindliche Natur entfaltet und die Gesellschaft hinter sich zurückläßt. So äußert Ernst Gystrow in seinem Aufsatz »Der Katholizismus und die neue Dichtung« anerkennend:

> Wie in der Seele eines eben zur Sinnlichkeit reifenden Kindes die Qualen des furchtbarsten Milieus Himmelssehnsucht wecken, wie der Fiebertraum, der das Bewußtsein umschleiert, zur Offenbarung des Halbbewußten, Halbempfundenen wird, über das die Verschlossenheit der Geschlechtsreife sonst trotzig und krampfhaft ihren Mantel spannt; es ist hier mit einer Tiefe und Kraft gestaltet, aus einer Wahrheit des Lebens heraus zu einer Duftigkeit des Sehnens entwickelt, daß es nur zwei Reaktionen des Genießenden giebt: sich beugen oder – zornig zurückweisen.[6]

---

[4] Hundert Jahre Zeitgeist in Deutschland, Geschichte und Kritik. Leipzig 1889, S. 165.
[5] Zentralpark. In: Illuminationen, S. 266. Vgl. Maurice Maeterlinck, Les Avertis. In: Le Trésor des Humbles. Paris 1895.
[6] In: Die Gesellschaft, Monatsschrift für Literatur, Kunst und Sozialpolitik, XV (1899), S. 78.

Der Tod wird zum Anlaß, der die verborgene Natur ans Licht bringt. In Ibsens Schauspiel »Klein Eyolf« sind Wasserlilien „letzter Gruß“[7] des ertrunkenen Knaben. Die bleiche Schönheit dieser Blumen verklärt den Tod des Kindes, an dem die Eltern schuldig wurden. Den Blick „Aufwärts, – zu den Gipfeln. Zu den Sternen. Und zu der großen Stille“[8] gerichtet, wollen die Eltern ihre Schuld sühnen. Der Tod des Kindes begründet ein dem Glück entzogenes Leben, das durch den Verzicht Klein Eyolf die Treue halten soll. In »Frühlings Erwachen « erscheint jenseitige Entrücktheit von der Last des Daseins in der Figur des Moritz Stiefel. „Wie der Schatten eines literarischen Artisten hockt dieser Stiefel auf seinem Grabe und verkündet eine Doktrin, die in den »Blättern für die Kunst« sich präsentieren könnte“[9], sagt Kurt Martens, der Freund Wedekinds. Wird Stiefels „Erhabenheit“ schließlich als Lüge entlarvt, so ist die Entrückung vom Leben doch eine große Versuchung für den starken Melchior Gabor, der er ohne die Hilfe des „vermummten Herrn“ nicht gewachsen wäre.[10]

Die Überlegenheit des „vermummten Herrn“ läßt in »Frühlings Erwachen« das andere Moment der Kindertragödie hervortreten: den problematischen Umschlag auf Negation verharrender Verklärung der Unfruchtbarkeit in Lebenskult. Auf dem Friedhof erscheint unversehens das rettende Leben. Weil Wedekind als Personifikation des Lebens kein Naturwesen, etwa eine Pan-Figur, wie sie in der bildenden Kunst jener Zeit üblich war, auftreten läßt, sondern einen Herrn mit Gehrock und Zylinder, wird um so deutlicher, wie unvermittelt die bürgerliche Gesellschaft, die eben noch der Unterdrükkung und des Mordes an Kindern überführt wurde, für einen emphatischen Begriff des Lebens einstehen kann, vor dem sich die kritisierte geschichtliche Realität zum Epiphänomen verflüchtigt. An dem „vermummten Herrn“, dessen elegante Kleidung Zweifel an seiner Existenz beheben soll, erweist sich die Identifikation von bürgerlicher Gesellschaft und naturhaftem Leben. Wedekind nahm keinen Anstand, durch das Titelblatt die Realität der Kinder-

---

[7] Ibsen, Sämtliche Werke, Bd. IX, S. 60.

[8] ebd, S. 79. Es charakterisiert Ibsens Moralismus, daß in seiner Kindertragödie das Kind, das noch nicht moralisch handelt, nicht zur Hauptfigur des Dramas wird, dem es den Namen gegeben hat.

[9] Literatur in Deutschland, Studien und Eindrücke, Berlin 1910, S. 101.

[10] Wedekind selbst betont den Ernst dieser Verführung zum Tode, wenn er schreibt: „Als Modell für den aus dem Grabe gestiegenen Moritz Stiefel [...] wählte ich die Philosophie Nietzsches.“ (Wedekind, Gesammelte Werke, 9 Bände, München 1912–1921. Bd. IX, S. 424. Alle Zitate aus dieser Ausgabe werden im Folgenden im Text selbst nachgewiesen; die römische Zahl weist auf den Band, die arabische auf die Seite hin.)

tragödie ins idyllische Naturbild zu transformieren. „Das Titelblatt – eine Frühlingslandschaft, knospende Bäume, Schwalben, eine tiefe Wiese mit üppigen Blumen, fern begrenzt von Hügeln – stammt von Franz Stuck. Wedekind hat, wie der Maler erzählt, sich selber an ihn gewandt und auch die Idee gegeben, die Stuck in großen Zügen stilisierend ausführte [...]."[11] Nur die blassen Farben und die starren Konturen der Bäume im Vordergrund geben dieser Frühlingslandschaft etwas Zerbrechliches, das dem Schicksal der Kinder gegenüber jedoch euphemistisch ist. Dolf Sternberger hat diesen Übergang von der historistischen Weite des 19. Jahrhunderts zur Regression auf die Natur selbst als den Übergang zum Jugendstil geschildert:

> Der illusionistisch weite Raum hat sich zusammengezogen zu dem kleinen Felde der aus lauter edlen Materialien gebildeten, gleichwohl „schlicht natürlichen" Blumenwiese, auf deren stillem und von eigenem Licht beglänzten Plane das Paradies der Lebensreform sich entfaltet.[12]

Natürlichkeit entspringt künstlerischer Willkür. So begründet Wedekind den Auftritt des „vermummten Herrn", der die Positivität des Lebens retten soll, lediglich mit dem Affekt: „Es widerstrebte mir, das Stück, ohne Ausblick auf das Leben der Erwachsenen, unter Schulkindern zu schließen." (IX, 424) Als ob dieses „Leben der Erwachsenen" nicht im Drama selbst der Unmenschlichkeit überführt worden wäre, eröffnet Wedekind am Schluß dennoch den Ausblick auf das Leben, ohne Rücksicht darauf, daß diese eudämonistische Lebensperspektive das Leiden der Kinder als zufälliges Unglück zu eliminieren droht. Ein ähnlich problematisches Verhältnis von intendiertem Leben und dargestellter Realität, der willkürlichen Rettung von außen in „Frühlings Erwachen" vergleichbar, wird an der Geschichte von Halbes Kinderdrama deutlich. Halbe fand erst Monate nach Vollendung seines Stückes den programmatischen Titel »Jugend«; vorher hatte er noch, die naturalistische Zu-

---

[11] Kutscher, Bd. I, S. 234. Die Beschreibung der Frühlingslandschaft in »Elins Erweckung« (entstanden 1887) mutet wie eine literarische Vorwegnahme des Titelbildes an, auf dem die blassen Farben und eine jugendstilhafte Betonung der Konturen Sonnenlicht aussparen. „Es ist ein trüber Tag. / Und gierig trinkt mein langentwöhntes Auge / Der Matten saft'ges Grün. / An Busch und Baum / Prangt noch kein Blatt. Sie ragen kahl, gespenstig / doch weithin sichtbar in die laue Luft. / Kein Sonnenstrahl durchbricht das Firmament, / Das feucht und dunkelgrau darniederhängt / Auf die erwachte Erde. Doch soweit / Der Blick sehnsüchtig in die Ferne schweift, / Kein Nebelschleier; klare satte Farben / Der Matten Grün, der hohen Tannenwälder / Dunklere Töne – fern der Horizont / In tiefstes träumerisches Blau getaucht." (IX, 18f.).

[12] Panorama oder Ansichten vom 19. Jahrhundert. Hamburg ²1946, S. 150.

standsschilderung betonend, »Im Pfarrhof« gelautet[13] und die Bedeutung der beiden Priestergestalten hervorgehoben, deren Verzicht die einzige Alternative zur Leidenschaft bedeutet. Um der „Lebensbejahung" willen, wie er später sagt,[14] kehrt Halbe seine naturalistische Kritik am Naturprozeß, vor dem nur der Rückzug in die transzendente Bindung des Priestertums retten kann, durch das eine Wort „Jugend" ins Positive um.[15]

Die beiden widerstreitenden Motive der Kindertragödie, die Evokation von naturhaftem Leben und die Verklärung des Unfruchtbaren, vereint lebensphilosophische Dialektik; sie sind Momente im ästhetizistischen Programm des Jugendstils, das Lebenserneuerung durch eine neue Kunst verkündet. „Leben", der „Wille zum Leben", soll als Frühlingserwachen, Jugend oder Erdgeist die Konflikte im Drama, das Leiden einzelner, aufheben und als machtvolle Einheit erkannt werden. Im Unfruchtbaren hingegen wird die natürliche Entsprechung der Kunst verehrt; seine scheinhafte Beziehung zur Realität gibt ihm eine Affinität zum ästhetischen Schein. Das von der Realität abgehobene Sein der Kunst soll sich im sterilen, scheinhaften und deshalb schönen Dasein bestätigen. Fällt es der Kunst zu, „Leben" zu provozieren, so ist das unfruchtbar Zwecklose in der Natur die Basis der Kunst, ihre Rechtfertigung vor dem Leben. Unter diesem Aspekt sind in einem frühen Gedicht Hofmannsthals, das zur gleichen Zeit wie die Kindertragödien entstand, Vitalität und Morbidität verschwistert, Kinder der einen Mutter:

Die Töchter der Gärtnerin

Die eine füllt die großen Delfter Krüge,
Auf denen blaue Drachen sind und Vögel,
Mit einer lockern Garbe lichter Blüten:
Das ist Jasmin, da quellen reife Rosen
Und Dahlien und Nelken und Narzissen ...
Darüber tanzen hohe Margeriten
Und Fliederdolden wiegen sich und Schneeball
Und Halme nicken, Silberflaum und Rispen ...
Ein duftend Bacchanal ...
Die andre bricht mit blassen feinen Fingern
Langstielige und starre Orchideen,

---

[13] siehe Halbe, Gesammelte Werke. Bd. II, S. 122.

[14] Jahrhundertwende, S. 60. Vgl. Lou Andreas-Salomé, Ein Frühlingsdrama. In: Freie Bühne, Berlin 1889ff. Jahrg. IV (1893), S. 572ff.

[15] Dieser Versuch ist ein literaturgeschichtliches Extrem, das den unvermittelten Übergang von naturalistischer Kritik an der Naturkausalität zu ihrer glorifizierenden Umdeutung in das Lebensprinzip markiert. Vgl. unten S. 95.

Zwei oder drei für eine enge Vase ...
Aufragend mit den Farben, die verklingen,
Mit langen Griffeln, seltsam und gewunden,
Mit Purpurfäden und mit grellen Tupfen,
Mit violetten, braunen Pantherflecken
Und lauernden, verführerischen Kelchen,
Die töten wollen ...[16]

Die Entsprechungen überquellenden Lebens und tödlicher Starre, die der Preis für den Übergang der Natur in Kunst ist, sind spiegelbildlich hergestellt. Orchideen bilden das Gegenstück zu dem reichen Strauß berauschend duftender Blumen. In der Blumenmetaphorik durchdringen Kunst und Leben einander und drohen sich in ästhetizistischer Austauschbarkeit zu verlieren. Überdies dekretiert die Gedichtüberschrift die ursprüngliche Einheit der Gegensätze und sucht noch den Widerstand zu eliminieren, den die heimtückische Aggressivität der Orchideen gegen diese künstliche Harmonie von Tod und Leben übt. In der Kindertragödie jedoch erhält diese lebensphilosophische Dialektik keine derart unbestrittene Geltung; sie vermag nicht wie das Gedicht Hofmannsthals den sozialen Konflikt gänzlich zu eskamotieren, sondern entfaltet – oft scheint es fast wider den Willen ihrer Dichter – die Lebensproblematik in Konfrontation mit der bürgerlichen Gesellschaft.

„Leben“ und gesellschaftliche Realität

Es macht die Bedeutung von »Frühlings Erwachen« aus, daß Gesellschaft nicht nur den Hintergrund wie in »Hanneles Himmelfahrt« abgibt, auch nicht wie in Halbes »Jugend« als Naturprozeß erscheint, sondern daß diese Konfrontation von Lebensphilosophie und Gesellschaftskritik thematisiert wird. »Frühlings Erwachen« beginnt mit einem Gespräch zwischen Mutter und Tochter über die einem heranwachsenden Mädchen angemessene Kleidung. Die Szene scheint sich in den Bahnen eines reformerischen Problemstückes zu bewegen: die Mutter versäumt ihre Pflicht, das Kind in die Welt der Erwachsenen einzuführen, und ist allzu nachsichtig gegen ihre Tochter, die möglichst lange von hinderlichen Konventionen verschont bleiben möchte. Unversehens wird jedoch der konversationsstückartige Verlauf des Dialogs gestört. Auf die belanglose Frage der Mutter: „Wer weiß, wie du sein wirst, wenn sich die anderen [Mädchen] entwickelt haben“ lautet die Antwort:

---

[16] Gesammelte Werke, Gedichte und lyrische Dramen, S. 76.

„Wer weiß – vielleicht werde ich *nicht* mehr sein". (II, 98) Die Ankündigung des tödlichen Ausgangs wirft einen flüchtigen Schatten auf das Familienidyll; er weicht sofort wieder, wenn Wendla gleich darauf ihre Mutter beschwichtigt, deren Sorge sich dem gesundheitlichen Aspekt eines kurzen Kleides zuwendet. Handlungsablauf und Bedeutung der Todesahnung durchdringen einander nicht. Wendlas Satz fügt sich so wenig der Konversation ein, daß Sperrdruck die richtige Betonung sichern muß, der die Isolierung der Bedeutung vom Geschehen in der Szene um so auffälliger macht.
In Gerhart Hauptmanns »Hannele« hingegen wird das Unheil von Beginn an durch das Intérieur des Armenhauses vorbereitet, dessen unglückverheißender Eindruck die Bemerkung der Regieanweisung „Es ist eine stürmische Dezembernacht"[17] verstärkt. Bereits vor ihrem Auftritt kündigt sich der Tod der Heldin an.[18] Krank, im Delirium tritt sie auf; vor der ärztlichen Untersuchung deutet der Waldarbeiter Seidel mit den Worten „Ich gloobe, das Mädel steht nich mehr uff"[19] das Ende an. Eine ähnliche Geschlossenheit der Motivationskette erreicht Halbe, indem er das Schicksal der Tochter mit dem ihrer verstorbenen Mutter verknüpft. Vererbung bildet die Grundlage für die symbolische Verschränkung[20]: am Geburtstag der Mutter beginnt Annchens Liebe, am Tag der Seelenmesse, dem Todestag der Mutter, stirbt

[17] Hannele, Traumdichtung in zwei Teilen. Berlin 1894, S. 3.
[18] Storms Märchen »Der kleine Häwelmann«, das der fünfzehnjährige Wedekind zum »Kinderepos Hänseken« umgestaltete, scheint auch Hauptmanns Vorbild gewesen zu sein. Den drei Werken liegt die nächtliche Himmelfahrt als Flucht aus dem Elternhaus zugrunde, die gegen Morgen ein jähes Ende findet. Während Häwelmann nach dem Sturz ins Meer von einem Erwachsenen, dem Erzähler, sicher ins Boot gerettet wird und der Übermut des Kindes nicht als Schuld gilt, kündigt sich bei Wedekind ein leidvoller Ausgang der Fahrt an. Von der Mutter verstoßen, ist Hänseken allein auf sich gestellt und wird erst, nach langer Fahrt auf dem Fluß, bei den Negern wieder glücklich. Hauptmann radikalisiert das Motiv des kindlichen Exodus vollends zur Anklage gegen die Eltern, die kindliche Flucht in den Traum beendet hier der Tod. Findet Hänseken zu einem neuen Glück in einem unzivilisierten Leben, so reduziert sich Hanneles Glück auf die Reise in den Tod: Erfüllung in naturhafter Primitivität und verklärte Loslösung vom Dasein sind die beiden Aspekte der Himmelfahrt.
[19] Hannele, S. 22.
[20] „*Annchen* [...] Onkelchen, wie hat doch eigentlich Mutterchen ausgesehen? So wie ich? *Hoppe:* So wie du! Bloß dunkleres Haar ... Und wohl etwas größer ... [...] Größer etwas ... Aber nicht viel? ... [...] *Annchen:* Ich kann mich immer ärgern, wenn Amandus sagt, er schlägt nach Mutterchen. *Hoppe:* Amandus schlägt nach seinem Vater. [...] (S. 130) *Kaplan:* [...] Ein Leichtsinn liegt in Ihrer *Familie!* [...] (S. 154) *Annchen:* [...] Ich muß voviel an Mutterchen denken. Ob die meinen Vater auch so lieb gehabt hat, wie ich dich? (...) Ich kann mir ganz gut denken wie das gekommen ist. Wir *sind* so. Wenn wir einem Menschen gut sind, kann er uns um den Finger wickeln. [...] (S. 176)". (Halbe, Gesammelte Werke. Bd. II.)

das Mädchen. In der Perspektive der Wiederholung des Schicksals ist der Schuß des Amandus nicht mehr zufällig, sondern in Gestalt des Schwachsinnigen rächt sich die Ehe grausam an dem Kind der Liebe, sobald es sich anschickt, sein Glück außerhalb der Konvention zu suchen,[21] ebenso wie sie vorher der Mutter den Tod brachte. Zu dieser eingehenden Motivierung bei Hauptmann und Halbe steht die Todesmotivation in »Frühlings Erwachen« in auffälligem Gegensatz; bis zum Auftritt der weisen Frau bleibt Wendlas Wort das einzige Vorzeichen des Endes. Mag Wedekind Wendlas Tod insofern innere Begründung verleihen, als das Mädchen ihn selbst erahnt, so macht die in ihrer Knappheit wenig zwingende „Motivierung" diesen Tod um so furchtbarer. In der Gewaltsamkeit der Verknüpfung kommt die Sinnlosigkeit des Sterbens in den Blick, dem sonst in der vollendeten Motivierung schon durch die höhere Notwendigkeit eine Rechtfertigung droht.

Die letzte Szene von »Frühlings Erwachen« entfernt sich völlig vom Konversationston der ersten und erinnert nur noch durch die provokatorisch elegante Kleidung des „vermummten Herrn" daran, daß selbst die metaphysische Auseinandersetzung von Tod und Leben bürgerliche Maßstäbe nicht außer Kraft setzt. Wedekind entfaltet die lebensphilosophische Problematik hier unmittelbar und führt unversehens drei Figuren nebeneinander, die verschiedenen Realitätsebenen angehören. Melchior Gabor lebt. Der tote Moritz Stiefel tritt, „seinen Kopf unter dem Arm" (II, 167), als „Verkörperung des Todes" (IX, 424) auf; noch phantasmagorischer ist der „vermummte Herr", der sich hinter einer Maske verbirgt. Als Repräsentant des Lebens hat er keine bestimmte Erscheinung. Auf Moritz Stiefels Klage, daß ihm im letzten Augenblick vor seinem Selbstmord keine hilfreiche Begegnung zuteil geworden sei, erwidert er: „Erinnern Sie sich meiner denn nicht? Sie standen doch wahrlich auch im letzten Augenblick noch zwischen *Tod* und *Leben.* –" (II, 173) Ilse, deren Locken Moritz nicht folgte, ist eine Erscheinung des vermummten Herrn. Wie das „Leben" ist er an keine bestimmte Sphäre gebunden; die Widmung von »Frühlings Erwachen« verleiht ihm eine die Immanenz des Dramas überschreitende Bedeutung: in der dem Jugendstil eigenen Verschränkung von Kunst und Leben ist der „vermummte Herr" Geschöpf des Dichters und höchste Lebenswirklichkeit, welcher der Dichter sein Hommage darbringt.

Begibt sich der Held von »Frühlings Erwachen« seines Zweifels, ob Moritz, die Verkörperung des Todes, oder der „vermummte Herr" der „Teufel"

[21] Vgl. das Drama »Freie Liebe« (1890), besonders den 5. Aufzug.

(II, 171) ist, indem er sich vertrauensvoll dem Lebenden anschließt, so ist dennoch der „vermummte Herr“ nicht frei von Negativität. Durch ein kunstvolles Zitat gibt Wedekind, seiner Widmung zum Trotz, dieser Figur ein Moment des Trügerischen, das sie vor restloser Positivität bewahrt: der „vermummte Herr“ ist nach dem Vorbild des Mephistopheles gestaltet, der in der Paktszene Faust ins Leben zu führen verspricht. Jakob Minor macht in seinem Faustkommentar darauf aufmerksam, daß die Verse

> Bin ich als edler Junker hier,
> In rotem, goldverbrämten Kleide,
> Das Mäntelchen von starrer Seide,
> Die Hahnenfeder auf dem Hut,
> Mit einem langen spitzen Degen,
> Und rate nun dir, kurz und gut,
> Dergleichen gleichfalls anzulegen; [...][22]

auf die mondäne Kleidung Mephistos hindeuten, mit der er sich für die Weltfahrt ausgestattet hat. „Der seidene Mantel und der Degen bedeuten im vorigen Jahrhundert das eigentliche Gesellschaftskleid, wie heute im Salon der Frack [...].“[23] Die weltmännische Kleidung des „vermummten Herrn“ und seine allgemeinen Versprechungen – „Ich mache dir den Vorschlag, dich mir anzuvertrauen“. „Ich erschließe dir die Welt.“ „Ich mache dich ausnahmslos mit allem bekannt, was die Welt Interessantes bietet.“ (II, 170f.) –, denen in der Paktszene des „Faust“ die Erfahrung, „was das Leben sei“ (V. 1543) und das Versprechen „Ich gebe dir, was noch kein Mensch gesehen“ (V. 1674) korrespondieren, erhalten durch die Parallele zu Mephistopheles etwas Zweideutiges: Wenn der „vermummte Herr“ auch über Melchiors „enervierenden Zweifel an allem“ (II, 174) den Sieg davon trägt, so zeigt Wedekind bei der positivsten Figur, in der er das „Leben“ gestaltet hat, die Skepsis, welche in den späteren Dramen das Vertrauen in das „Leben“ völlig verstummen läßt.

Ohne szenische Erläuterung läßt Wedekind die drei Personen nebeneinander auftreten. Es heißt: „*Moritz Stiefel* (seinen Kopf unter dem Arm, stapft über die Gräber her): Einen Augenblick, Melchior! Die Gelegenheit wiederholt sich sobald nicht. [...]“ (II, 167) „(Ein vermummter Herr tritt auf) *Der*

---

[22] Goethe, Faust. Weimarer Ausgabe, Bd. XIV, S. 75, V. 1535–1539.

[23] Goethes Faust. Entstehungsgeschichte und Erklärung. 2 Bde. Stuttgart 1901, Bd. II, S. 182.

vermummte Herr (zu Melchior): Du bebst ja vor Hunger. Du bist gar nicht befähigt zu urteilen...". (II, 170)

Ibsens dramatisches Gedicht »Peer Gynt«, das Wedekind sehr hoch schätzte,[24] ist die literarische Vorform für dieses Nebeneinander der Realitätsebenen.[25] Der phantastische Stil erstreckt sich bei Ibsen jedoch über das ganze Werk und hat auch durch die Prahlsucht des Helden thematischen Bezug. Wedekind hingegen verwendet den phantastischen Stil ohne Rücksicht auf ästhetische Stimmigkeit nur in der letzten Szene als *Stilmittel,* das dem Realismus der vorausgegangenen Szenen einen Stoß versetzt.

Im Gegensatz zu diesem Verfahren begegnet Gerhart Hauptmann von vornherein mit dem Untertitel „Traumdichtung in zwei Teilen" einer möglichen Verwischung der Realitätsebenen. Der Hinweis auf den Traum als dargestellten *Stoff*[26] bezeichnet das eindeutige Verhältnis des Traumes zur Wirklichkeit. Nicht der Traum als Gleichnis des Lebens oder ein Drama in der Form eines Traumes[27], wodurch die Grenzen des Realen sich verwischten, spielt sich ab, sondern die Entstehung eines Traumes an einem bestimmten Ort unter bestimmten sozialen Umständen sowie das Überschreiten dieser Bedingungen im Traum werden dargestellt. Die Zugehörigkeit zum Bereich des Realen charakterisiert Hauptmann durch besondere Sprachfärbung, die dem sozialen Status der Person entspricht. Die Armenhäusler sprechen reinen Dialekt[28]. Amtsvorsteher Bergers Hochdeutsch hat einen befehlenden Ton, der von seiner Polizeifunktion herrührt.[29] Doktor Wachtler bedient sich typischer ärztlicher Redewendungen wie etwa: „Na sieh mal an: da ist es ja gar nicht so schlimm mit uns"[30], nachdem er sich über den Zustand Hanneles im Klaren ist. Schwester Martha gebraucht Hannele gegenüber den Terminus „Sünden wider den heiligen Geist."[31] Dem Lehrer Gottwald, der fast reines

---

[24] vgl. Kutscher, Bd. I, S. 263.

[25] vgl. den „fremden Passagier" (V. Akt), der sich als Vorbild für Moritz Stiefel bezeichnen ließe.

[26] Daß die Erläuterung des Stoffes durch Untertitel üblich war, zeigt sich auch an den Werken Wedekinds und Halbes. »Frühlings Erwachen« hat den Zusatz „Eine Kindertragödie", »Jugend« ist ein „Liebesdrama".

[27] vgl. Szondi, Theorie, S. 51ff.

[28] „A so toll haben mersch schonn viele Jahre nich gehabt." (Hannele, S. 3). „Mei Richel Lavendel kann se ooch mitnehmen." (ebd, S. 63). „Ich will nischt gesagt haben, nee, nee, beileibe! Aber wer das Mädel hat um's Leben gebracht, das wess man woll etwan." (ebd, S. 64).

[29] „Das woll'n wir dem Kerl doch mal eklich versalzen [...]. Du! Mädel! sag mal! Du wimmerst ja so [...]. Ich glaube, das Mädel ist etwas störrisch." (ebd, S. 17).

[30] ebd, S. 24.

[31] ebd, S. 29.

Hochdeutsch spricht, unterlaufen Wendungen wie: „An der Mutter hatte sie *noch'n* Rückhalt“[32]. „Wir haben sie *halt* aus dem Wasser gezogen“[33], „Ach Seidel, das ist ja bloßes Gerede“[34], die auf seine gutmütige Beschränktheit hinweisen. Die Sprache Hanneles dagegen ist stilisiert;[35] sie soll die Realität mit dem Traumbereich, soll Milieu und glanzvolle Verklärung vermitteln. Sind Traum und Wirklichkeit in Hauptmanns Stück auch unterschieden,[36] so werden sie doch nicht in einfachem Gegensatz belassen, sondern durch Hanneles Sprache überbrückt.

Stilistische Einheitlichkeit, welche die naturalistischen Grenzen an keiner Stelle überschreitet, ist in Halbes Drama erkennbar. Hier wird nur erörtert und ausdrücklich verneint, was in »Frühlings Erwachen« sich im Drama ereignet: das Erscheinen Verstorbener. Auf die Frage Annchens: „(naiv) Und man kann wirklich nicht wiederkommen? Auch nicht als Geist? ...“ antwortet Pfarrer Hoppe:

> (wieder trinkend, leichter) Mir ist noch keiner begegnet, Anna. Ich bin zweiundfünfzig Jahre alt. Wir müssen uns schon mit uns abfinden, wie wir sind. Ich sag ja, wenn deine Mutter gekonnt hätte, die hätt's gewiß getan ...[37]

Mit welcher Konsequenz Halbes Drama im Bereich des Empirischen verharrt, wird – im Hinblick auf die Verklärung Hanneles – am glanzlosen Sterben Annchens deutlich.

Wedekind verzichtet auf stilistische Ausgewogenheit, wie sie bei Hauptmann und Halbe zu finden ist, um mit der unvermittelten surrealen Szene das „Leben“ als beherrschende Macht, vor der die gesellschaftliche Realität unwesentlich wird, sichtbar zu machen. Wo Hauptmann den Tod des Kindes

---

[32] ebd, S. 19.
[33] ebd, S. 15.
[34] ebd, S. 21. Hervorhebungen vom Verfasser.
[35] „Lieber Gott, mich friert ...“, „Lieber Gott, mich hungert“, „Lieber Gott, mir thut es so bitter weh“. (ebd, S. 18). „Mich dürstet“. (ebd, S. 24). „Mutter, liebe Mutter, wie glänzest Du doch in Deiner Schöne“. (ebd, S. 38).
[36] Bis zum Schluß des Dramas wird die Trennung von Traum und Wirklichkeit durchgehalten. „*Hannele* liegt wieder im Bett, ein armes, krankes Kind. *Doktor Wachtler* hat sich mit dem Stethoskop über sie gebeugt; die *Diakonissin*, welche das Licht hält, betrachtet ihn ängstlich. Nun erst schweigt der Gesang gänzlich. *Doktor Wachtler*, sich aufrichtend, sagt: ‚Sie haben recht.‘ *Schwester Martha* fragt: ‚Todt?‘ der *Doktor* nickt trübe: ‚Todt‘.“ (ebd, S. 75). Die Apotheose hat für die übrigen Personen keine Wirklichkeit.
[37] Halbe, Gesammelte Werke, Bd. II, S. 129 f.

lediglich verklärt und Halbe ihn als unausweichlich hinstellt, läuft Wedekind um seiner Intention willen Gefahr, aus den Augen zu verlieren, wie sehr die bürgerliche Gesellschaft kindliche Natur bedroht. Zum Tode Wendlas weiß der „vermummte Herr" nur vorzubringen: „So viel kann ich dir sagen, daß die Kleine vorzüglich geboren hätte. Sie war musterhaft gebaut. Sie ist lediglich den Abortivmitteln der Mutter Schmidtin erlegen." (II, 171) Daß die Anwendung von Abortivmitteln entscheidender ist als die körperlichen Bedingungen für die Mutterschaft, wird bei dem emphatischen Natur- und Lebensbegriff geflissentlich unterschlagen. Das spätere Werk Wedekinds bis hin zu »Hidalla« (1904) muß als Auseinandersetzung mit diesem „Ausblick ins Leben" gesehen werden; Jack the Ripper, der Lulu als Engel unter die Sterne versetzt, Konsul Casimir, der Keith zwingt, erneut die Rutschbahn zu besteigen, und Zirkusdirektor Cotrelly, der Hetmanns Selbstmord veranlaßt, sind als Nachfolger des „vermummten Herrn" nur Agenten der Gesellschaft, an denen der Elan der Helden zerbricht. So problematisch die Figur des „vermummten Herrn" ist, so entspringt sie doch der Bemühung um ein Leben, in dem Abortivmittel wirklich nebensächlich geworden sind, während Hauptmanns und Halbes Naturalismus solche Utopie fremd bleibt.
Der unvermittelten Anwendung des phantastischen Stils in »Frühlings Erwachen« entspricht im sprachlichen Detail das Neben- und Gegeneinander von konventioneller Sprache und Ausdruck von Innerlichkeit.

> *Melchior:* Ich glaube, das ist eine Charybdis, in die jeder stürzt, der sich aus der Skylla religiösen Irrwahns emporgerungen. – Laß uns unter der Buche Platz nehmen. Der Tauwind fegt über die Berge. Jetzt möchte ich droben im Wald eine junge Dryade sein, die sich die ganze lange Nacht in den höchsten Wipfeln wiegen und schaukeln läßt ...
> *Moritz:* Knöpf dir die Weste auf, Melchior. (II, 100)

Auf die mißratene mythologische Metaphorik, womit Wedekind die Redeweise von Gymnasiasten parodiert, folgt die Aufforderung, unter der Buche „Platz" zu nehmen. Selbst für den Fall, daß unter dem Baume sich eine Bank befindet,[38] ist diese Redeweise bei dem Aufenthalt im Freien merkwürdig formell. Das Verfehlte dieser Formel gesellschaftlichen Umgangs beim vertrauten Gespräch wird dadurch verstärkt, daß der Satz „Der Tauwind fegt über die Berge" unvermittelt in den Bereich lyrischer Emotion hinüberwechselt und

[38] darüber sagt die Regieanweisung nichts.

Melchior mit dem Wunsch schließt, als Dryade mit der Natur eins zu werden. Dieses Verlangen wiederum wird negiert: Moritz versteht, seinem Wesen gemäß, seinen Freund nur in banalem Sinne und fordert ihn auf, sich die Weste zu öffnen. Eine andere Stelle lautet: „*Melchior:* Das Leben ist von einer ungeahnten Gemeinheit. Ich hätte nicht übel Lust, mich in die Zweige zu hängen. – Wo Mama mit dem Tee nur bleibt!" (II, 120) Neben den emphatischen Wunsch, in die Natur zu fliehen – er nimmt „das Wiegen in den höchsten Wipfeln" und die Begegnung mit Wendla wieder auf, welche als „Dryade" erschien, „die aus den Zweigen gefallen" (II, 113) – rückt Wedekind eine ironische Pointe, den kindlichen Verdruß über das lange Warten auf den Tee, den Anspruch auf mütterliche Fürsorge. Wenig später hält Melchior Moritz, den der unheimliche abendliche Garten anzieht, zurück.

> *Moritz:* Dein Tee wird mir gut tun, Melchior! [...] Wie sich dort im Mondschein der Garten dehnt, so still, so tief, als ging er ins Unendliche. – Unter den Büschen treten umflorte Gestalten hervor, huschen in atemloser Geschäftigkeit über die Lichtungen und verschwinden im Halbdunkel. Mir scheint, unter dem Kastanienbaum soll eine Ratsversammlung gehalten werden. – Wollen wir nicht hinunter, Melchior?
> *Melchior:* Warten wir, bis wir Tee getrunken. (II, 120)

Dem unheilvollen Drang des Moritz Stiefel, den es zur gespenstischen, unendlich erscheinenden Natur draußen hinzieht, setzt Melchior, nicht weniger banal wie vorhin Moritz mit seinem „Knöpf dir die Weste auf", eine Floskel entgegen, die an die gängige Weisheit „Abwarten und Tee trinken" erinnert. Verschiedene Sprachbereiche, denen verschiedene Wirklichkeitsbereiche entsprechen, stehen hier nebeneinander: was Wedekind seinen „Humor" (IX, 424) in »Frühlings Erwachen« nennt, soll durch die Parodie Distanz zu den kindlichen Helden herstellen und vor einer regressiven Identifikation mit dem Kind bewahren; zum anderen wird die lyrische Sprache, worin sich die lebensphilosophische Problematik der Flucht in die lebensvolle oder die scheinhaft unendliche Natur ausdrückt, durch den Rekurs auf die triviale Konversation relativiert. Wedekind sucht nicht über den Widerspruch von lebensphilosophischer Intention und gesellschaftlicher Realität hinwegzutäuschen, sondern hält ihn auch im Detail als Neben- und Gegeneinander von lyrischem Ausdruck und Konversation fest.
Das Drama »Hannele« hingegen zeigt einen deutlichen Ausgleich der Sprachstile, der die Einheitlichkeit des Werks garantiert. Die Sprache ist hier gleich-

sam hierarchisch geordnet: von naturalistischer Prosa über Hanneles stilisierte Sprache zu den Versen des Fremden und dem Gesang der Engel. Die sprachliche Stimmigkeit von Max Halbes »Jugend« ist schon durch das Personenverzeichnis, das die Überschrift „Menschen" trägt, zu charakterisieren. Dem Zweck einer Darstellung von „Menschen" entsprechend ist der Dialog der Konversation nachgebildet; die Regieanweisung regelt Aussprache und Gestik aufs genaueste. Es heißt etwa:

> *Hoppe* (auf und abgehend): Der gute Gregor! es gibt doch Leute, die nie fertig werden. Aus der kleinsten Messe macht er ein Pontifikalamt! Und um gar nichts. Für unsere Leute paßt das nicht. Da ist ein Vaterunser mehr als die längste Predigt. Das Seminar steckt ihm doch noch sehr in den Knochen, dem guten Gregor! (setzt sich an den Kaffeetisch).
> *Annchen* (am Tisch stehend): Ach Onkelchen, er meint's ja von Herzen gut. Aber er versteht's bloß nicht so. Mein Gott auch! Vorm Jahr seine Primiz gehabt. So wie Sie! Bald fünfundzwanzig Jahre Priester, wenn ich seh', wie schnell Ihnen das geht! Eins, zwei, drei! Die Leute mögen ja auch alle lieber, wenn Sie zelebrieren, Onkelchen. (Schlägt sich vor den Kopf) Ach, ich ... Kein Schmand! Auch keine Butter! (Eilig ab, nach einem Augenblick zurück mit Sahne und Butter) Hier. So! ... Soll ich streichen, Onkelchen? (Schneidet Brot.)
> *Hoppe* (Kaffee trinkend): Lernen wird das der gute Gregor aber doch müssen. (nachsinnend, halb für sich) Morgen die Totenmesse für die Ostrowska ...[39]

So wird auf die Verhältnisse des Pfarrhofs erschöpfend eingegangen, von der Küche bis zur Seelsorge entsteht ein nuancenreiches Gemälde, das die naturalistische Sprachebene an keiner Stelle überschreitet.

Dem, was sich in »Hannele« als Harmonisierung, in »Jugend« als naturalistische Einheitlichkeit, als Heterogenität der Wirklichkeitsbereiche in »Frühlings Erwachen« zeigte, entspricht ein wichtiges inhaltliches Moment der Kindertragödie: die Darstellung des Erotischen. Die Geschlechtlichkeit von Kindern verbürgte den Dichtern der Kindertragödien die Freiheit des Sexuellen von der Moral; zugleich verrät jedoch die Art der Darstellung dieses Bereichs, wie ernst die Dichter die Rettung des Geschlechtlichen vor der Prüderie meinen. Hauptmanns Heldin, deren Unglück darin besteht, daß sie

---

[39] Halbe, Gesammelte Werke, Bd. II, S. 29.

zu spät bei den „guten Menschen“[40], die ihr helfen wollen, anlangt, äußert ihr Verlangen nur in der domestizierten Weise religiöser Schwärmerei, die sich nicht wie bei Halbe und Wedekind auf einen gleichaltrigen Jungen, sondern an die Autoritätsperson des Lehrers richtet. Die Identifikation des geliebten Lehrers mit Jesus reinigt Hanneles Begehren vom Irdischen und läßt es problemlos in die „Himmelfahrt“ eingehen.[41] Halbe dagegen gestaltet die unmittelbare Betroffenheit der Liebenden, ebenso aber zeigt er minutiös, wie das konventionelle Verhalten des Mädchens die Leidenschaft unterdrückt.[42] Annchen versucht schamhaft die Distanz zu schaffen, die allein ihr das Aussprechen der Neigung erlaubt. Dem offenen Eingeständnis hält Zurückhaltung die Waage; das Begehren ist gebändigt. Im Verlauf der Handlung wird Leidenschaft nicht mehr durch die Schamhaftigkeit, sondern durch ein weiteres konventionelles Motiv, die notwendige Abreise an den Studienort, gemildert. Nur Annchens Tod verhindert, daß die Nichtigkeit dieser Beziehung völlig zutage tritt, weil der Verzicht auf die Liebe, wie er in der Handlung angelegt ist, nicht mehr vollzogen werden muß. Diese Beschränkung der Liebe auf die Ferien straft den Titel »Jugend«, durch den Vitalität in ihr Recht eingesetzt werden soll, Lügen und macht die Diskrepanz zwischen seinem Anspruch und dem Drama selbst deutlich. Schon der naturalistische Dialog, welcher der empirischen Realität voll Rechnung trägt, verhindert die Darstellung einer Entscheidung für die Leidenschaft, weil diese Entscheidung den Ablauf der Handlung aus den vorher gegebenen Bedingungen stören würde. Halbes »Jugend« ist kein „Liebesdrama“, wie der Untertitel verspricht, sondern eine naturalistische Schicksalstragödie, in der die Tochter, obgleich sie verzichtete, der Vergangenheit ihrer Mutter zum Opfer fällt.

Von dieser halben Emanzipation der kindlichen Sexualität distanziert sich Wedekind durch seine Intention, Sexuelles unmittelbar darzustellen. Sexuali-

---

[40] Hannele, S. 24.

[41] „*Hannele:* Wir machen zusammen Hochzeit, ja, ja, wir beide: der Herr Lehrer Gottwald und ich. Und als sie nun verlobet warn / Da gingen sie zusammen / In ein schneeweißes Federbett / In einer dunklen Kammer. – / Er hat einen schönen Backenbart. [...] Horch! – er ruft mich. [...] Das war der Herr Jesus, – Horch! [...]“ (ebd, S. 35).

[42] „*Annchen* (von der Tür zurück): So, jetzt aber schnell! Daß du wenigstens was Warmes in den Magen bekommst! Schnell etwas! *Hans* (vor ihr mit zugeschnürter Kehle): Ach, laß doch, Annchen! (faßt unwillkürlich Annchens Hand, die sie ihm willenlos überläßt. Schweigender Händedruck. Beide Auge in Auge, in mühsam gedämpfter Erregung). *Annchen:* Sei mir nicht bös, Hanschen! *Hans* (gepreßt): Aber, Annchen, warum? *Annchen:* Weil ich dich hier solang ohne was sitzen lass. Aber ich möchte am liebsten immerfort stehen und dich ansehen.“ (Halbe, Gesammelte Werke, Bd. II, S. 145).

tät bricht in »Frühlings Erwachen« in das Kontinuum der Handlung ein und versetzt die Personen in einen heteronomen, marionettenhaften Zustand:

> *Melchior:* Ich glaube nicht, daß je ein Kind dadurch besser wird.
> *Wendla:* Wodurch besser wird?
> *Melchior:* Daß man es schlägt.
> *Wendla:* Mit dieser Gerte zum Beispiel! – Hu, ist die zäh und dünn.
> *Melchior:* Die zieht Blut!
> *Wendla:* Würdest du mich nicht einmal damit schlagen?
> *Melchior:* Wen?
> *Wendla:* Mich.
> *Melchior:* Was fällt dir ein, Wendla!
> *Wendla:* Was ist denn dabei?
> *Melchior:* O sei ruhig! – Ich schlage dich nicht.
> *Wendla:* Wenn ich dir's doch erlaube!
> *Melchior:* Nie, Mädchen!
> *Wendla:* Aber wenn ich dich darum bitte, Melchior!
> *Melchior:* Bist du nicht bei Verstand?
> *Wendla:* Ich bin in meinem Leben nie geschlagen worden!
> *Melchior:* Wenn du um so etwas bitten kannst ...!
> *Wendla:* – Bitte – bitte –
> *Melchior:* Ich will dich bitten lehren! (Er schlägt sie.)
> *Wendla:* Ach Gott – ich spüre nicht das Geringste!
> *Melchior:* Das glaub ich dir – – durch all deine Röcke durch ...
> *Wendla:* So schlag mich doch an die Beine!
> *Melchior:* Wendla! – (Er schlägt sie stärker.)
> *Wendla:* Du streichelst mich ja! – Du streichelst mich!
> *Melchior:* Wart Hexe, ich will dir den Satan austreiben! (Er wirft den Stock beiseite und schlägt derart mit den Fäusten drein, daß sie in ein fürchterliches Geschrei ausbricht. Er kehrt sich nicht daran, sondern drischt wie wütend auf sie los, während ihm die dicken Tränen über die Wangen rinnen. Plötzlich springt er empor, faßt sich mit beiden Händen an die Schläfen und stürzt, aus tiefster Seele jammervoll aufschluchzend, in den Wald hinein.) (II, 117 f.)

Melchior Gabor wird, obgleich ihm der Traum, in dem er den Hund peitschte, Grauen erregte (II, 102), gezwungen, diese Handlung an Wendla wirklich zu vollziehen. Daß er seiner nicht mächtig ist, erweisen die Verwünschung des Mädchens als „Hexe“ und seine Unfähigkeit, trotz seiner Tränen von der Mißhandlung abzulassen. An der Heteronomie dieses sadistischen und masochistischen Verhaltens manifestiert sich der Trieb unverstellt. Die Bearbeitung dieser Passage für die Uraufführung am 20. November 1906 macht eine Konzession an Zensur und Publikum, welche die sexuelle Bedeutung der Prügelung im Originaltext um so deutlicher werden läßt. Im Notizbuch 38 lautet der Schluß der Szene:

> *Melchior:* [...] Warum bist Du so geizig mit Deinem Überfluß? Du bist sicher, daß ich keine Bewegung thue, die Dich ängstigen kann! Aber, sag mir, ehe Du gehst, nur das Eine, wann ich Dich Glückskind wiedersehe!
> *Wendla:* Wenn ich Dir einmal nachlaufe, dann siehst Du mich wieder![43]

Es ist hier nicht nur die anstößige Prügelung fortgefallen, sondern Melchior hat Züge des sentimentalen Liebhabers erhalten. An die Stelle bis zur Bewußtlosigkeit sich steigernder Aggressivität treten die Beteuerung der Unverfänglichkeit und die werbende Bitte um ein Wiedersehen, das Gegenteil der spontanen Handlung. Dieser inhaltlichen Veränderung vom Triebhaften zur Innerlichkeit korrespondiert in den Worten Wendlas: „Wenn ich Dir einmal nachlaufe, dann siehst Du mich wieder!" eine Vorbereitung der Heubodenszene. Auch sie stellt nun nicht mehr den unvermittelten Einbruch von Sexualität dar, sondern wird damit in ein Kontinuum psychologischer Motivierung eingebettet. Die inhaltliche Milderung hat mithin eine formale Konsequenz, welche »Frühlings Erwachen« in den Bereich des psychologisch wohl fundierten Konversationsstücks abgleiten läßt.[44] Ihr Extrem erreicht die Darstellung des Sexus mit der Szene auf dem Heuboden:

> *Wendla:* – – Nicht küssen, Melchior! – Nicht küssen!
> *Melchior:* – Dein Herz – hör ich schlagen –
> *Wendla:* Man liebt sich – wenn man küßt – – – – – Nicht, nicht! – –
> *Melchior:* O glaub mir, es gibt keine *Liebe!* – Alles Eigennutz, alles Egoismus!! – Ich liebe dich so wenig, wie du mich liebst. – (II, 132)

Melchior spricht, nachdem er sich Wendla genähert (II, 128) und das Mädchen sich der Aufklärung ihrer Mutter gemäß gewehrt hat, in einer diskursiven Sprache, die aus dem Szenenganzen herausfällt und nur durch den äquivoken Gebrauch des Wortes „Liebe" mit dem Vorangehenden verbunden ist. Die Negierung von Innerlichkeit richtet sich gegen das Ich selbst, das in triebhaftem „Egoismus" aufgehen soll. Die diskursive Gedankenführung Melchiors in den rhetorischen Figuren von These, Begründung und

---

[43] Notizbuch 38, Bl. 57v f.
[44] vgl. Kutscher, Bd. I, Bl. 258.

Spezifikation steht in Kontrast zu seinem leidenschaftlichen Handeln. Gleichsam als Sprachrohr des Sexus selber ist Melchior seinem Ich wie in der Waldszene entfremdet. Die moralischen Vorhaltungen in der Korrektionsanstalt,[45] seine gerade auf Spontaneität verzichtende Treue, die erst „im Laufe der Jahre" Wendlas Haß zu überwinden hofft, lassen Melchior auf dem Heuboden unter dem übermächtigen Zwang erscheinen, auf den schon sein Weinen, während er Wendla schlug, hindeutete.

Das allegorische Verfahren

Die stilistischen Härten von Wedekinds Drama, unvermittelte Todesankündigung, Simultaneität verschiedener Realitätsbereiche und unverhüllte Manifestation des Sexus, sind Ausdruck eines allegorischen Verfahrens, dem diese Momente von Diskontuinität zugeordnet sind.
Die Bedeutung und die besondere Form der Allegorie in der Literatur der zweiten Hälfte des neunzehnten Jahrhunderts sind noch so wenig erforscht, daß hier, in einer Untersuchung der Dramatik Wedekinds, nur eine Vorarbeit zur Erhellung dieses Problems geleistet werden kann.[46] In seinem Buch

[45] „Sie haßt mich – sie haßt mich, weil ich sie der Freiheit beraubt. Handle ich, wie ich will, es bleibt Vergewaltigung. – Ich darf einzig hoffen, im Laufe der Jahre allmählich ..." (II, 159). Auch Melchiors Interpretation der Gretchenhandlung betont die Innerlichkeit seiner Liebesauffassung. „Faust könnte dem Mädchen die Heirat versprochen, könnte es daraufhin verlassen haben, er wäre in meinen Augen um kein Haar weniger strafbar. Gretchen könnte ja meinetwegen an gebrochenem Herzen sterben. – Sieht man, wie jeder *darauf* immer gleich krampfhaft den Blick richtet, man möchte glauben, die ganze Welt drehe sich um P... und V..." (II, 123).

[46] In der Sekundärliteratur zu Wedekind wird die allegorische Stilform nur beiläufig berührt. Jörg Jesch, der über »Stilhaltungen im Drama Frank Wedekinds« (Marburg 1959) dissertierte, beschränkt seine Untersuchung auf eine Zusammenstellung von „Stilhaltungen" in Dramen Wedekinds. Obwohl er den Begriff der „überrollenmäßigen Sprachgestaltung" von P. Tack (Überrollenmäßige Sprachgestaltung in der Tragödie. In: Wortkunst Heft 5, München 1931) in die Arbeit einbezieht, bleibt die sich aus diesem Terminus ergebende Frage nach der Bedeutung des Allegorischen für die Dramen Wedekinds insofern unerörtert, als Jesch das Wort Allegorie des öfteren gebraucht, ohne es zu erklären. Es fehlt in der Literatur jedoch nicht an verstreuten Hinweisen, zum Beispiel auf die Typik der Personen und ihre marionettenhafte Entwicklungslosigkeit. So bemerkt A. Kutscher gegen P. Fechter, der „die Gestaltung von Menschen" bei Wedekind in den Vordergrund rückt: „Die Menschen sind seinem Aktivismus auch nur Mittel; er schafft keine eigentlich selbständigen Charaktere. Gerade die wichtigsten seiner Gestalten haben kein Zentrum. Ihre Seele, ihr Motor ist der Dichter. Die Typenreihe seiner männlichen und weiblichen Helden ist eine Abwandlung Wedekinds oder eine Kontrastierung zu ihm. [...] Und was er formt ist prinzipiell geschaut, in bezug auf Zweck, Haltung, Gebärde geschaffen. Seine Charakteristik ist von fantastischer Lebendigkeit, aber herrisch. Die Marionette steht seinem

»Panorama oder Ansichten vom 19. Jahrhundert« umschreibt Dolf Sternberger mit dem Terminus „lebendes Bild" die Simultaneität von Gegensätzlichem, wie es sich bei Wedekind, den Sternberger nicht behandelt, im Neben- und Gegeneinander von realistischer Darstellung und Abstraktion, konventioneller Sprache und Expression findet: „‚Lebende Bilder' also – das sind nicht Allegorien, wohl aber menschliche Modelle, welche Allegorien spielen. Oder auch Allegorien, welche in menschliche Figuren und Szenen eingelassen, eingesperrt sind. Ehedem wohnte den alten, barocken Allegorien der Schönheit, des Lasters und der Tugend eine Dauer inne, die gleichsam quer und streng durch alle Zeiten ging und vom menschlichen Wandel und Vorgang ganz unabhängig blieb, und nur vermöge solcher Dauer waren die Figuren überhaupt allegorisch. Diese Dauer ist in den ‚lebenden Bildern' verloren; sie konnte von diesen irrenden, scheinhaft lebendigen Schemen nicht wieder gewonnen werden."[47] Sternberger begreift die Wiederkehr der Allegorie im 19. Jahrhundert als Verfall und beklagt den Verlust ihrer ungebrochenen Geltung, die im Barock theologisch fundiert war. Die geschichtliche Dignität dieser neuen Form der Allegorie besteht indes darin, daß sie sich dem theologischen Absolutheitsanspruch der Barockallegorie versagt, die das Diesseits restlos auf Transzendenz verpflichtete; vielmehr trägt sie durch die wie immer problematische Vermittlung von Bedeutung und Seiendem dem Bruch zwischen der metaphysischen Geltung und der Realität Rechnung. Das lebende Bild ist zwar – wie Sternberger betont – wegen seiner Nähe zum Empirischen nicht dagegen gefeit, als Genre in Trivialität eingebettet zu werden. Dieser Prozeß metaphysischer Entleerung prägt sich auf dem Reklameplakat des 19. Jahrhunderts am reinsten aus, wo sich die Bedeutung eines komplizierten

---

Stil nicht fern." (Kutscher, Bd. III, S. 271) Oder Fritz Hagemann (Wedekinds Erdgeist und die Büchse der Pandora. Diss. Erlangen 1926, S. 102) betont die Entwicklungslosigkeit der Figuren in den „Lulu"-Dramen, ein Indiz ihres allegorischen Wesens: „Die Menschen schwanken wie Puppen oder Marionetten an unsichtbaren Fäden durcheinander. [...] Der Mensch im Erdgeist hat kein eigentliches Ziel und deshalb keine Entwicklung; er ist von Anbeginn fertig und verändert sich in seinem Wesen nicht mehr." Willi Duwe (Die dramatische Form Wedekinds in ihrem Verhältnis zur Ausdruckskunst, München 1936) betrachtet Wedekind im Zusammenhang mit dem antinaturalistischen Drama des Expressionismus, wobei er Worringer folgt. Der Sache nach sind die allegorischen Elemente in Wedekinds Dramen der Forschung nicht entgangen; die Allgemeinheit dieser Charakterisierungen ist jedoch für eine immanente Interpretation weniger fruchtbar.

[47] Sternberger, S. 64. Der Rekurs auf W. Benjamins Aufzeichnungen in »Zentralpark« (s. Nachweis 5) erscheint wegen ihres fragmentarischen Charakters problematisch. Es sei jedoch darauf aufmerksam gemacht, daß Sternbergers Begriff der allegorischen Dauer Benjamins »Ursprung des deutschen Trauerspiels« verpflichtet ist.

kunstgewerblichen Arrangements auf eine Firmen- oder Warenmarke reduziert. Andererseits zeugt Wedekinds Drama davon, welche dialektische Kraft diese neue Form des Allegorisierens in sich bergen kann. In »Frühlings Erwachen« entfaltet sich die Metaphysik des „Lebens" nicht ohne den Kontext der bürgerlichen Gesellschaft; auch ist die bürgerliche Gesellschaft nicht der einzige Maßstab; die lebensphilosophische Intention des Dichters weist über sie hinaus und antizipiert ein Neues.

Unter dem Blickpunkt dieser Allegorieform erscheint »Frühlings Erwachen« nicht mehr in heterogene, phantastische, groteske und realistische Teile zerstückelt. Das abrupte Verlassen der Konversationsebene, das die Todesahnung Wendlas hervorruft, ist nicht nur ein Mangel an ästhetischer Stimmigkeit; dieser Kontrast bewirkt, daß die Worte des Mädchens, die sie als zum Tode bestimmte Figur aus dem Geschehen herausheben, nicht nur symbolistisch die schicksalshafte Todesfügung bezeugen; im Kontext der betulichen Befürchtungen von Frau Bergmann, die ihre Tochter später den Abortivmitteln einer Kurpfuscherin anvertraut, werden sie auch zur Anklage gegen eine Gesellschaft, die dieses Schicksal verhängt.

Der phantastische Stil der Friedhofszene ist Teil des allegorischen Verfahrens, wodurch erst die vorher verhüllte Bedeutung Moritz Stiefels und in gewisser Weise[48] auch des „vermummten Herrn" rein in Erscheinung tritt. Daß Moritz beim ersten Auftritt von „Todesangst" und „Gethsemane" spricht (II, 103), als er von seinem Traum berichtet, daß er bei den ersten sexuellen Regungen, die Manifestationen seiner Lebenskraft sind, glaubt, er sei krank und leide an einem „inneren Schaden" (II, 103), daß er seine Ruhe erst durch die Retrospektive zurückerhält, aus der er seine Lebenserinnerungen schreibt, deutet darauf hin, daß diese Figur von Beginn an dem Tode verfallen ist. Seine Reaktion auf die Geschichte von der „Königin ohne Kopf" (II, 121) entspringt der Flucht vor dem Leben. Wurde in der Geschichte gesagt, daß die Königin ihren Kopf vom König mit den zwei Häuptern empfängt, und wandelte sich darin mythisches Dasein zur Humanität, so biegt Stiefel diesen Prozeß zurück, wenn er als Folge dieser Geschichte schöne Mädchen, die ihm begegnen, ohne Kopf sieht. Die Identifikation mit der kopflosen Königin nimmt den Schuß in den Kopf vorweg. Das Motiv des fehlenden Kopfes wird zudem fortgeführt, als es bei der Beerdigung Stiefels heißt: „Man sagt, er habe gar keinen Kopf mehr." (II, 151) In der Friedhofszene tritt durch die

---

[48] In Gestalt Ilses gehört der „vermummte Herr" der vorausgehenden Dramenhandlung zu.

Aufnahme des Wiederkehrertopos[49], das Auftreten mit dem Kopf unter dem Arm, das Wesen dieser Figur rein hervor. Bekundete das Fehlen des Kopfes schon früher Moritz' Zugehörigkeit zum Leblosen, so ist mit dem Auftritt in der Friedhofszene die volle Identität von Erscheinung und Bedeutung erreicht, welche diese Figur zu einer Allegorie des Todes macht. Der Antagonist des Moritz Stiefel, der ,,vermummte Herr", wurde durch Ilse, eine Personifikation ungebrochener Lebenskraft, in der vorausgehenden Handlung vorbereitet. Reflexion ist Ilse unheimlich; sie träumt ,,grauenvoll" (II, 140), weil sie sich im Spiegel sah.[50] Ihrer naturhaften Weiblichkeit stellen sich die Künstler als ,,Horde" (II, 140) dar, die aus Tieren besteht. Ilse kennt keinen ,,Katzenjammer" (ebd), ohne Hemmung schildert sie ihr unbändiges Leben. Einzig die Todverfallenheit Stiefels, die Ilse als Verharren in der Infantilität erscheint,[51] gibt ihr den das Gegenwärtige übersteigenden Gedanken der eigenen Vergänglichkeit ein. Ihre Worte ,,Bis es an euch kommt, lieg' ich im Kehricht" (II, 141) deuten auf Vergänglichkeit als einzige Schranke spontanen Daseins, das sich in der Figur der Ilse personifiziert. Seine Identifikation mit Ilse rückt den ,,vermummten Herrn" in ihre Nähe, wodurch zugleich der Unterschied hervortritt. Suchte Ilse Moritz durch eine ins einzelne gehende Schilderung ihres Lebens für sich zu gewinnen, so hat der ,,vermummte Herr", außer dem Hinweis auf die Wichtigkeit der materiellen Reproduktion, nur allgemeine Sentenzen für Melchior, den er im Gegensatz zu Moritz vertraulich mit ,,Du" anspricht (II, 174). Die Redeweise, die dem ,,vermummten Herrn" trotz weltmännischen Gebarens etwas Abstraktes gibt, rührt von der Repräsentation eines Allgemeinen, des Lebens selber her, dessen Totalität sich gegen die Konkretisierung sperrt und nur allegorisch, wie in der Figur des ,,vermummten Herrn", vorgeführt werden kann. Ilse und ,,vermummter

---

[49] vgl. Hoffmann-Krayer und Bächtold-Stäubli, Handwörterbuch des deutschen Aberglaubens, Bd. V, Artikel Kopf, Sp. 203. ,,Seltsam ist, daß [...] Wiederkehrer als Gespenster mit dem Kopf unter dem Arm [...] in Sagen und Erzählungen erscheinen.« Siehe auch Artikel kopflos, ebd, Sp. 215f. Der Marquis von Keith sagt: ,,Wenn ich sterbe, ohne gelebt zu haben, dann werde ich als Geist umgehen." (IV, 18)

[50] Eine Gestalt, die der ,,Salonmuse" Heines entsprang, ist Vorbild dieser Figur, in der Wedekind zum ersten Mal in seinem Werk mythisches Leben dargestellt hat. Wie die Ilse der »Harzreise« hat Wedekinds Figur mit dem Fluß – er symbolisiert in »Frühlings Erwachen« das Elementare des Lebens und seine Gefährlichkeit – eine enge Beziehung. Ilse berichtete den Mädchen vom Hochwasser (II, 106); in der Szene, in der sie Moritz verlockt, ,,hört man den Fluß rauschen" (II, 135). Ilse hört den Schuß, nachdem sie über die Brücke gegangen war; als sie am Morgen wieder am Fluß vorbeikommt, nimmt sie Moritz die Pistole fort (II, 152).

[51] Diese Annahme macht die Affinität von Kindheit und Tod aus der Sicht voll erblühten Lebens deutlich.

Herr" sollen durch die Identifikation einander das ihnen Fehlende borgen. Durch die Nähe zum „vermummten Herrn" soll Ilses Bohèmeleben, das in seiner detaillierten Schilderung mit der Realistik der Handlung vor der Friedhofszene übereinstimmt, Bedeutung erlangen; Ilse hinwieder soll der abstrakten Figur Unmittelbarkeit verbürgen. Die Eindeutigkeit dieser Identifikation, welche als Austauschbarkeit von Bedeutungsgehalten selbst Merkmal allegorischen Stils ist, läßt den Charakter der Figuren als Personifikationen des Lebens, als Nähe und Weite deutlich hervortreten. Die Phantastik der Friedhofszene entspringt nicht einfach der Willkür Wedekinds; sein Versuch einer positiven „Bilanz" (IX, 373), der einzig positiven bis hin zur regressiven Versöhnung in einigen Dramen des Spätwerks, verleiht ihr eine innere Begründung: die Ebene des Konversationsstücks mußte verlassen werden, sollte der „vermummte Herr" wirklich den Ausblick auf das Leben offenhalten.

Auch Melchiors widersprüchliches Verhalten – sein Weinen, während er Wendla schlägt, die diskursive Gedankenführung bei der Vergewaltigung, seine selbstlose Treue im Monolog der Korrektionsanstaltszene im Gegensatz zu seinen Worten über Egoismus – zeugt von jenem allegorischen Stil, bei dem sich das Allegorische als flüchtige Erscheinung, als „lebendes Bild" darstellt. Die Macht des Allgemeinen, sei es Egoismus, Sexus oder „Leben", soll dadurch Wahrheit bekommen, daß es „in menschliche Figuren und Szenen eingelassen" wird, sich mit dem Partikulären auf das engste verschlingt. Die unvermittelte Negierung des Ich, die plötzliche Entfernung von ihm, macht an der Figur des Melchior den Primat des Sexus, des überindividuellen „Lebens" sinnfällig. Die Figur ist mit individuellen Zügen ausgestattet, gerade um Individualität als scheinhaft darzutun. „Wedekind schrieb nicht die Moritat von den ahnungslosen Flegeln und Backfischen, sondern das Trauerspiel vom Erwachen der eigensinnigen Naturkraft in der Kreatur."[52]

Problematik des Naturornaments

Am Gebrauch der Allegorie außerhalb von »Frühlings Erwachen« wird jedoch deutlich, wie sehr Wedekind im Drama selbst der Gefahr widerstanden hat, den lebensphilosophischen Aspekt, in dessen Dienst die Allegorie steht, zu verabsolutieren. Eine abgerissene, nicht genau datierbare Bemerkung, die

---

[52] Benjamin, Wedekind und Kraus in der Volksbühne. In: Die Literarische Welt, Jahrg. 5 (1929), Nr. 44, S. 7.

aus der Zeit der Entstehung von »Frühlings Erwachen« stammen dürfte, faßt das Schicksal der Kinder im Bilde einer Blume zusammen:

> ...die männlichen sowohl wie die weiblichen stehen sämtlich im Alter von beiläufig vierzehn Jahren. Der schmächtige Halm ist emporgeschossen, die schwere saftstrotzende Knospe droht ihn zu knicken, die Blätter haben sich noch nicht entfaltet, aber der Kelch steht geöffnet und gestattet ...[53].

Mit diesen Sätzen wird, was an »Frühlings Erwachen« Tragödie ist, ornamental ins Bild der Blume verwandelt. Diese Blume, welche für die männlichen wie für die weiblichen Kinder einstehen soll, erscheint in ornamentaler Kontur: sie ist namenlos, farblos und duftlos, über ihren Standort ist nichts gesagt. Durch ihre Abstraktheit ist sie wiederholbar wie ein Ornament. Das Widersprüchliche des Bildes – die Blume wird mit saftstrotzender Knospe und mit geöffnetem Kelch beschrieben – deutet auf die diffizile Situation der Pubertät: kindliche Unschuld neben erwachendem Trieb. Die Analogie zur Blume verbürgt der pubertären Erotik Natürlichkeit und befreit dieses Stadium der Reife von Vorurteilen. Jedoch schließt dieses stilisierte Naturbild neben der Gefährdung durch die Pubertät nicht die gesellschaftliche Pression mit ein, an der die Kinder zugrunde gehen. Hieran wird die Problematik des Jugendstils bei seinem Rückgriff auf Natur, auch auf die gefährdete und leblose offenbar, da selbst das sterbende oder tote Stück Natur affirmativ immer noch auf den Natur- und Lebenszusammenhang als ganzen und letztlich heilen verweist. Im ornamentalen Naturbild wird das Individuelle subsumiert im Namen der Lebensmetaphysik.[54] Georg Lukács beschreibt im Jahre 1909 diesen Sachverhalt, der zugleich die Genese des Jugendstils erkennen läßt.

> Die Notwendigkeit des Ornaments ist das metaphysische Prinzip, welches der verdinglichten Kausalreihe im Naturalismus entgegen gehalten wird. Deshalb tendiert das Ornament dahin, Selbstzweck zu werden gegen das, was es ausdrücken soll als geformtes Schicksal.[55]

---

[53] zitiert nach: Kutscher, Bd. I, S. 235.

[54] Oscar Wilde ornamentalisiert Kinder und Blumen in „De profundis" (1896). Sie stehen für „the mode of existence in which soul and body are one and indivisible: in which the outward is expressive of the inward: in which form reveals." (Wilde, The Works, edited by G.F. Maine, S. 864). Auch bei Wilde fehlt das Moment der Gefährdung nicht. „Spring always seeming to one as if the flowers had been in hiding, and only came into the sun because they were afraid that grown up people would go tired of looking for them and give up the search; and the life of a child being no more than an April day on which there is both rain and sun for the narcissus." (ebd, S. 873).

[55] Zur Soziologie des modernen Dramas. In: Archiv für Sozialwissenschaft und Sozialpolitik, Bd. XXXVIII (1914), S. 702.

Über der Gestaltung des Lebens im ornamentalen Naturbild drohen die menschlichen Konflikte, welche den Rückzug auf Naturhaftes veranlaßten, eliminiert zu werden. Im Stück selber jedoch setzt Wedekind bei der Demonstration der Macht des Triebes, trotz des Rückgriffs auf Naturgeschichte, die gesellschaftlichen Konflikte nicht außer Kraft. Der überwiegend konversierende Dialog hält an der Bedeutung des Sozialen fest, aus dem die kommunikative Sprache stammt und für den sie gültig ist. Das Frühlingserwachen findet in Konfrontation mit dem Sozialempirischen statt, so daß Prosaisches, das von der Form nicht restlos getilgt werden kann, ins Drama eingeht. Der eigenwillige Versuch einer Konfiguration zweier sich ausschließender Bereiche macht die Bedeutung dieses Werkes aus.

II

Kolportage und mythologisches Spiel: Die Lulu-Dramen

Über zwanzig Jahre, von 1892 bis 1913, hat Wedekind an den Lulu-Dramen gearbeitet. Die wichtigsten Stadien dieses Weges sind: die nicht veröffentlichte, der Forschung bis heute nicht zugängliche erste Fassung »Die Büchse der Pandora. Eine Monstretragödie«[1] aus dem Jahre 1895, »Der Erdgeist« (1895), »Die Büchse der Pandora« (1902) und die späte »Lulu. Tragödie in fünf Aufzügen« (1913). Rücksichtnahme auf die Zensur, Gerichtsverfahren und der Druck eines entrüstungsbereiten Publikums könnten als alleinige Ursachen dafür gelten, daß mehrere Fassungen entstanden. Während das öffentliche Ärgernis nur durch *stoffliche* Einzelheiten wie den Auftritt eines Lustmörders und den Geschlechtsakt in der Dachkammer[2] erregt wurde, und Wedekinds Änderungen als Konzessionen erklärt werden könnten, sind die *stilistischen* Unterschiede der Fassungen nicht durch äußere Einwirkung zu erklären. Sie führen in die innere Geschichte des Dramenkomplexes hinein, von der her dann auch die stofflichen Veränderungen – nicht durch Konzessionsfreudigkeit verursacht, vielmehr durch den Zwang des Problems herbeigeführt – in einem neuen Lichte erscheinen.

Die Bezeichnung „stilistisch" wird in einem Sinne verwendet, den die dramatische Formproblematik um die Jahrhundertwende mit ihrem scheinbar eklektizistischen Schwanken zwischen lyrischem, mythologischem, naturalistischem Drama und dem Konversationsstück nahelegt. Stilistisch meint hier nicht die alte Unterscheidung von hohem und niederem Stil oder den Personalstil des Dichters, sondern die oftmals geringfügig erscheinenden Veränderungen, die einem Konversationsstück mythologischen Hintergrund zu geben oder einen mythologischen Sachverhalt der Psychologie einer pièce bien faite anzugleichen vermögen. So bemerkt Hugo von Hofmannsthal über »Die ägyptische Helena«, wie leicht sich dieses mythologische Drama in ein Konversationsstück verwandeln ließe:

---

[1] vgl. Kutscher, Bd. I, S. 339.

[2] vgl. vor allem das Urteil des königlichen Landgerichts. In: Wedekind, Die Büchse der Pandora, Neu bearbeitet und mit einem Vorwort versehen. Berlin (1906), S. 45–49.

Durch ganz kleine Veränderungen wären alle diese mythischen Elemente zu beseitigen; alle diese Zaubereien sind ja nur Verkürzungen – [...] all das hätte sich auf die Ebene der Dialektik projizieren lassen, es wäre das richtige Konversationsstück geworden: Ehe als Problem, Schönheit als Problem, [...].[3]

Über die sprachliche Ausprägung hinaus bezieht das Stilistische den Ort mit ein, auf dem eine Figur oder das Drama selbst angesiedelt ist, etwa den Bereich des Gesellschaftlichen, des Psychologischen, des Mythologischen.
Bestimmte Details, die Art der Motivation, literarische Anspielungen und Zitate gehören zum Gehalt der Lulu-Dramen. Die Bedeutung dieser Momente ist der Forschung bisher entgangen, da sie die Genesis der Lulu-Dramen und ihr Verhältnis zueinander vernachlässigte. Auch Arthur Kutscher, dessen Pandora-Kapitel und Aufsatz »Eine unbekannte französische Quelle zu Frank Wedekinds Erdgeist und Büchse der Pandora« sachlich kaum noch ergänzt werden konnten, macht hierin keine Ausnahme.

Femme fatale und mythologisches Wesen

Die Lulu-Gestalt ist in allen Fassungen zentral; an ihr lassen sich die stilistischen Veränderungen am deutlichsten ablesen. Jedoch sind die Veränderungen nicht im Sinne einer Entwicklung zur einheitlichen, endgültigen Form zu verstehen; denn trotz Vervollkommnung im einzelnen sind die stilistischen Widersprüche der Lulu-Gestalt, die glücklich liebende Frau eines frühen Entwurfs und die „Schlange" (III, 9), welche der Tierbändiger des »Erdgeist«-Prologs zu zeigen verspricht, auch in der letzten Fassung von 1913 nicht völlig ausgemerzt.
In einem *Entwurf aus den Jahren 1893/94* beginnt die erste Szene des zweiten Aktes:

Lulu Oh, wenn doch alle Menschen so glücklich wären wie ich, welche Seeligkeit wäre es dann auf dieser Welt zu leben! *(Schwarz tritt zögernd dem Schlafzimmer zu)*
Lulu Guten Morgen, mein liebes Herz. Hast du gut geschlafen?[4]

Wenn auch in diesem Entwurf Lulus Glücksgefühl nicht von ihrer Liebe zum Gatten, dem Maler Schwarz, sondern von ihrer Beziehung zu Schön herrührt, so äußert sich in diesem kurzen Monolog, bei dem ein Zwang zur

[3] Gesammelte Werke, Prosa IV. S. 457.
[4] Notizbuch 15, Bl. 7r.

Verstellung ausgeschlossen ist, eine Sentimentalität, die harmonisch in die geziert liebevolle Begrüßung der Jungverheirateten aus gutem Hause übergeht. Lulus bürgerliche Erziehung – noch die Erdgeistfassung von 1895 erwähnt Konfirmation und Französischunterricht[5] – entspricht dieser Figur in ihrem frühen Stadium durchaus. In dem anschließenden Dialog mit Schwarz ist nicht davon die Rede, daß Lulu von einem Lustmörder träumte,[6] vielmehr heißt es: „Mir träumte von dir. Mir träumte vom ersten Beginn unseres Glückes, als du mich damals in deinem behaglich eingerichteten Atelier in die Arme schlossest."[7] Lulu sucht den Gatten mit Liebe zu umgeben. Eine Regieanweisung dieser Szene lautet: „(berührt seine Lippen mit den ihrigen, schlicht und innig)".[8] Als konventionelles Gegenstück zur anschmiegsamen Gattin tritt Schwarz herrisch auf. Schwarz nennt sie „Lulu"; sie bedeutet ihm nicht das Urbild eines Weibes, wie es später der Name „Eva" ausdrückt. Ein weiteres Anzeichen dafür, daß die Lulu-Figur hier noch völlig im konventionellen Bereich eines Ehebruchdramas steht, ist das schamhafte Geständnis ihrer Schwangerschaft, an der noch die erste Erdgeistfassung festhält.[9] Lulu ist untreue Ehefrau, nicht aber verheiratete Dirne oder mythische Verkörperung des Triebes.

Mit der trivialen Ehedarstellung stimmt überein, daß Schigolch hier nicht früherer Geliebter und Zuhälter ist, sondern Lulus Vater. Die spätere Ankündigung seines Kommens: „*Lulu* (visionär): – Du? – du? – (schließt die Augen)" (III, 38), die ihre Beziehung hintergründig macht,[10] hat in dem frühen Entwurf keinen Raum. Es fehlen Anspielungen auf vergangene

---

[5] Der Erdgeist. Eine Tragödie. Paris–Leipzig–München 1895, S. 49f.

[6] Im Text der »Monstretragödie« neubearbeitet von Kadidja Wedekind findet sich Lulus Traum vom Lustmörder und ihr Verlangen nach ihm an dieser Stelle im zweiten Akt (nennt's LULU, nennt's PANDORA, ALS BLIEBE DAS PRINZIP NICHT IMMER DAS GLEICHE! Die Monstretragödie. Neubearbeitung, München 1961/62, S. 46). Daß es sich bei dieser Textherstellung mit großer Wahrscheinlichkeit um die Urfassung handelt, wird durch eine Bemerkung Kutschers erhärtet, die Lulus Geständnis von dem späteren Traum im Gefängnis unterscheidet: „In Lulu selber schlummert ein grausiges Verlangen nach solcher Erfüllung; sie gesteht: ‚Ich möchte einmal einem Lustmörder in die Hände geraten', sie träumt auch im Gefängnis davon." (Kutscher, Bd. I, S. 366).

[7] Notizbuch 15, Bl. 12^{v}.

[8] ebd, Bl. 15^{r}.

[9] Der Erdgeist, S. 71.

[10] „Einzig mit ihm [Schigolch] fühlt sich Lulu wirklich verbunden [...]. Denn Schigolch steht [...] genau wie sie außerhalb aller gesellschaftlichen Bezüge, illusionslos und fremd alles durchschauend. Schon bevor er ins Haus tritt, fühlt sie visionär sein Kommen [...]. Und Schigolch wirkt in der Tat innerhalb ihrer gesellschaftlichen Welt wie ein irrealer Geist, wie ein lebendig Toter." (Emrich, Die Lulu-Tragödie, S. 214).

Liebesbeziehungen und die spätere zweimalige Regiebemerkung „ihr das Knie streichelnd" (III, 40 u. 41). Der Rückfall in den chaotischen Zustand vor der Exogamie, der Inzest mit der Vaterfigur Schigolch, ist nicht angedeutet. Es heißt:

(sie besprengt ihn mit dem Flakon)
Schigolch Was soll das, Martha? – Riecht das besser als du?
Lulu Martha – – Ha, Ha!
Schigolch Nun, wie denn sonst? – habe ich dich jemals anders als Martha gerufen?
Lulu Martha klingt mir schon ganz vorsinthfluthlich. [...].
Schigolch Als bliebe das Prinzip unter all den verschiedenen Namen nicht immer und ewig das gleiche!
Lulu Darin hast du freilich recht.[11]

Schigolch wird später den Namen „Lulu" als einziger gebrauchen. „Lulu", eine archaische Iteration, klingt dann „wie eine atavistische, vormenschliche Lautbildung"[12], dem Namen Schigolch verwandt,[13] und beide Figuren rücken ins Dunkel des Ursprungs. Der Wechsel des Namens Martha kennzeichnet hier lediglich Lulus veränderte Verhältnisse, ihren Aufstieg. Lulu lacht nur, als sie ihren alten Namen hört. Die Veränderung erscheint ihr nicht „unfaßlich" (III, 40). Lulu ist sich hier selbst nicht problematisch und bestätigt selbstsicher Schigolchs Feststellung, daß das Prinzip das gleiche bleibe, dagegen fragt sie später: „Du meinst?" (ebd). Noch fehlt der Hinweis, daß Lulu „seit Menschengedenken" (ebd) anders heißt, womit sie die verschiedenen Angaben über ihr Alter[14] zum Allegorischen hin überschreitet.
Im weiteren Verlauf dieser Szene des *Entwurfs* wird die Rolle Schigolchs als väterlicher Erzieher, dem es nur darum zu tun ist, sein Kind für das Leben zu ertüchtigen, besonders betont. Auf Lulus Klage, sie fühle sich durch Schwarz zu einem Tier erniedrigt, belehrt er sie:

---

[11] Notizbuch 15, Bl. 19^{r}f.
[12] Emrich, Die Lulu-Tragödie, S. 206.
[13] Schigolchs Name erinnert an Molch. Der Tierbändiger weist vor der Präsentierung der Schlange, Lulus Tiersymbol, auf Molche hin (III, 9). Karl Walsers Umschlagzeichnung zu »Die Büchse der Pandora« (Bruno Cassirer Verlag, Berlin 1904) zeigt zwei aus der Büchse kriechende Molche.
[14] Rodrigo sagt von Lulu: „Sie steht jetzt im zwanzigsten Jahr, [...]" (III, 137). Schön kennt Lulu schon: „Etwa seit ihrem zwölften Jahr" (III, 50). Der Zeitraum von wenigen Jahren, die seit der Namensveränderung vergangen sind, läßt keine Interpretation von „seit Menschengedenken" als einem Zeitraum von dreißig Jahren zu.

> Was kannst du dir Schöneres wünschen in deinen Jahren. Das Tier da (?) ist das einzige Echte im Menschen. Alles übrige Selbstbetrug – Einbildung – leerer Wahn. Was du als Tier gelebt hast, das entreißt dir kein Mißgeschick mehr. Das bleibt dein Lebensgut. [...].[15]

Zufrieden betrachtet er sein ,,Lebenswerk" als ,,vollendet".[16] Schön gegenüber beruft er sich auf seine ,,Vaterpflichten"[17]. ,,Mich führt die Sorge hierher, daß mein Kind auf dem rechten Wege bleibt."[18] Als Marthas Vater, der sich, wenn auch auf absonderliche Weise, um das Glück seines Kindes sorgt, ist Schigolch noch der Vaterrolle des Konversationsstückes verhaftet. Erst die spätere Fassung, die ihn in dieser Szene zu Lulu, als sie im Zenit ihrer Schönheit steht, sagen läßt: ,,Wir sind Moder" (III, 42), verwandelt ihn in eine Figur, an der die Züge des Konventionellen hintergründig auf die ,,mephistophelische" Ewigkeit im Bereich amorpher Natur hindeuten. ,,Bei allem Zynismus ist er nicht ohne Vornehmheit; Noblesse, Eleganz sind seine Lieblingswörter",[19] sagt Kutscher von Schigolch. Wenn Wedekind etwas über seine Kleidung bemerkt,[20] so läßt er ihn in ramponierter Gesellschaftstoilette auftreten. Gab schon die Kleidung des ,,vermummten Herrn" als Mephistopheles-Zitat ihm – auch seinem Verhältnis zu Ilse – ein Moment des Zweideutigen, so depravieren Schigolchs Weltläufigkeit und sein Zynismus ihn vollends zur Mephistopheles-Figur. Sein Alter, seine Häßlichkeit, die Begehrlichkeit, die sich auch auf Knaben richtet,[21] seine Vertrautheit mit Lulus Lebensgeschichte zeigen ihn als Nachfolger der Goethischen Figur Phorkyas-Mephisto, der Vertrauten Helenas. Schigolch vertritt wie Phorkyas Naturgeschichte[22], die amorphe Natur, aus der alles entsteht und in die alles vergeht, während die kindliche Lulu Schönheit und Lust verkörpert, die der Realität dieses Verfalls widerstehen.
Auch im *Entwurf aus den Jahren 1893/94* folgt auf die Szene Lulu – Schwarz und Lulu – Schigolch wie in allen späteren Fassungen der Auftritt Schöns. Weist Wedekind darauf hin, daß er in »Erdgeist« Dr. Schön, ,,das menschlich Bewußte", ,,am menschlich Unbewußten" (IX, 440) in Gestalt Lulus schei-

[15] Notizbuch 15, Bl. 20v f.
[16] ebd, Bl. 21r.
[17] ebd.
[18] ebd.
[19] Kutscher, Bd. I, S. 371.
[20] Merkwürdigerweise geschieht dies nur in der »Büchse der Pandora«.
[21] vgl. Die Büchse der Pandora. In: Die Insel, hg. von O.J.Bierbaum. Jahrg. III (1902), Heft 10, S. 66.
[22] vgl. Emrich, Die Symbolik von Faust II. S. 278ff.

tern lassen wollte, so läßt die Frühform dieser Szene die Entwicklung von der »Monstretragödie« zur »Erdgeist«-Problematik deutlicher werden. Schön wirft Lulu vor, daß sie sich absichtlich am Morgen in seinem Hause vor Verwandten seiner Braut sehen ließ. Auf die Frage, warum Schön diese Begegnung nicht verhindert habe, heißt es weiter:

> *Schön* Weil ich nicht wußte, daß sie kommen würden!
> *Lulu* Das thut mir leid. Wenn ich das gewußt hätte, ich wäre um keinen Preis der Welt bei dir geblieben!
> *Schön* Du hast es aber gewußt! Deine Spione hatten dir das gestern Abend noch [...] gemeldet![23]

Schön tritt hier nicht als Meister der Intrige auf, dem zweimal mühelos Lulus Verheiratung gelungen ist; er selbst ist durch eine Intrige bedroht. Lulu verstellt sich und heuchelt Bedauern; sie verfügt über Spione und bezwingt Schön nicht durch ihre Unwiderstehlichkeit, sondern übt gesellschaftlichen Druck aus. Schön führt nicht Verblendung zu ihr, der Irrtum, über Lulu Herr zu werden – wie in der späteren Fassung –, sondern Lulu zwingt ihn, die Rettung seiner Reputation zu versuchen. Für das Drama in seiner frühen Konzeption bekommt diese Intrige ein besonderes Gewicht, weil hier der dritte Akt, in dem Schöns provozierendes Verhalten Lulu gegenüber die Niederlage der Eheschließung veranlaßt, noch fehlt,[24] und der überraschende Selbstmord des Malers Schön bereits im zweiten Akt dazu bringt, seinen Widerstand aufzugeben. In Dr. Schön unterliegt noch nicht – nach dem Vorbild der mißlungenen Erdgeist-Beschwörung Fausts – hybrides Bewußtsein dem „unbewußten" Sein Lulus. Nicht die „Donquichoterie des menschlich Bewußten" (IX, 441) findet ihre Darstellung, sondern Schön scheitert an einer Intrige, der reflektierten Form der Gewalt,[25] ein Mittel, das Lulu zielstrebig benutzt. Es schärft sich aber an der intriganten Lulu des *Entwurfs* der Blick für Abweichungen, die einer reinen Ausprägung dieses lebensphilosophischen Widerstreits, dem Sieg des Unbewußten über das Bewußte, auch in den späteren Fassungen zuwiderlaufen. So rühmt Lulu noch in der letzten Fassung von »Erdgeist« ihre Verstellungskunst: „Wenn ich mich nicht besser aufs

[23] Notizbuch 15, Bl. 22r.
[24] Der Akt in der Theatergarderobe fehlt sowohl in der handschriftlichen »Monstretragödie« als auch in der letzten Fassung »Lulu. Tragödie in fünf Aufzügen mit einem Prolog« München–Leipzig (1913).
[25] Daß Schön in der »Monstretragödie« (1895) noch nicht die Autonomie des Bewußtseins vertritt, deutet seine Morphiumsucht an, die das Gegenteil selbstherrlichen Bewußtseins ist, vgl. Kutscher, Bd. I, S. 352.

Theaterspielen verstände, als man auf der Bühne spielt, was hätte aus mir werden sollen!" (III, 64) Nicht nur, daß Lulu, die stolz darauf ist, Verstellung nicht nötig zu haben (III, 41), hier auf die Notwendigkeit und den Erfolg ihrer Täuschungsmanöver hinweist, sie verwandelt selbst ihren Körper in zweite Natur: Wo Schön reine Natur sucht, findet er sich durch „Koketterie" (III, 16) getäuscht. Er ist entsetzt, als Schwarz ihn – in der »Erdgeist«-Fassung von 1895 – auf Lulus „gefärbte, wenn nicht mit der Schere gekräuselte"[26] Löckchen hinweist. Auf die Frage des mißtrauisch gewordenen Schön: „Sind Sie gepudert?", reagiert Lulu empört (III, 19); sie hütet das Geheimnis ihrer Schönheit, das nicht zuletzt auf „Kammfett und Puder" (III, 42) beruht. Diese kosmetischen Details widerlegen zusammen mit dem Hinweis auf ihre Verstellungskunst Lulus Naturhaftigkeit, die der bisherigen Forschung außer Frage steht.[27] Wedekind hat es nicht verschmäht, Erfahrungen, die er in monde und demi-monde von Paris und London machte, in die Gestaltung der Heldin mitaufzunehmen.[28]

---

[26] Der Erdgeist, S. 16.

[27] Bei Paul Fechter heißt es von Lulu: „Sie ist das Weib in Urform, schön wie die Welt am ersten Schöpfungstag mit einem Lächeln auf den Lippen und dem Nichts im Herzen. Sie ist die unbeseelte Kreatur, von der der Prolog spricht, unschuldig, weil sie gar kein Gefühl für Sünde hat, bedenkenlos, reiner Trieb – aber nicht rein." (F. Wedekind, S. 45). Bernhard Diebold schreibt: „Auch Lulu ist nur Deckname einer mythischen Kraft; nom de guerre für den Lebenszirkus. Das Fleisch des Weibes ist namenlos und glitzert jedem in anderer Helle. Die Ehemänner erfinden Namen als formende Gedichte an ihre glühende Substanz: [...]" (Anarchie im Drama, Frankfurt 1921, S. 49). Bei Kutscher heißt es dazu: „Die Verkörperung dieser Elementargewalt stellt er in den Mittelpunkt seiner Handlung. [...] Sie ist eine überwirkliche Erscheinung, ein Phänomen, aber nicht etwa ‚das' Weib, [...] sondern eine Naturgewalt, ein mystisches (sic!) Wesen wie die Nixe, etwas Bestimmteres noch als das bloße Instinktwesen; Personifikation des weiblichen Geschlechtstriebes, der im Zentrum des Lebens steht, [...]." (Bd. I, S. 362f.). Bei Gertrud Milkereit vertritt Lulu eine unbedingte „reine Natur" (Die Idee der Freiheit im Werke Frank Wedekinds, Diss. Köln 1957, S. 30). Wilhelm Emrich sieht in Lulus „Natur" zugleich Moral. Trotz „ihres unbewußten, unreflektierten Wesens" (S. 210) verkörpert Lulu „nicht nur vital-elementare ‚Natur', nicht nur ein höheres, übermenschliches Wesen, sondern sie manifestiert, ja sie *lebt* einen unbedingten moralischen Anspruch. Ihre unbedingte Natur ist unbedingte Moral" (S. 206). Peter Michelsen hat bereits eine fundierte Kritik der Begrifflichkeit dieser Sätze gegeben, vgl. Frank Wedekind, S. 53 u. S. 66. Jedoch kehrt dieser Autor wieder zur konventionellen Ansicht von Lulus Naturhaftigkeit zurück, wenn er sie als „das reine Naturwesen, bestehend aus nichts als Fleisch und vulva" (ebd, S. 53), als „animalische Natur" (ebd, S. 55) konzipiert sieht.

[28] So schreibt Wedekind, in seinem Pariser Tagebuch auf die genaueste Wiedergabe des Empirischen bedacht, von einem Freudenmädchen: „Sie ist apetitlich (sic!) wie ein geschälter Apfel." (Pariser Tagebuch L 3503, Bl. 9r). Dieses Bild kehrt in der »Monstretragödie« wieder. Lulu sagt von sich: „Wenn man nachts die Decke zurückschlägt, bin ich wie ein geschälter Apfel." (zitiert nach: Kutscher, Bd. I, S. 364).

Carl Heine, der Regisseur der Leipziger »Erdgeist«-Aufführung von 1898, schreibt in einer Erinnerung an dieses Ereignis:

> Der Erdgeist entstand in Paris unter dem Eindruck einer machtvollen Umgebung, deren Mittelpunkt der reinste Typus eines Restaquero bildete. Zu Ehren von dessen Lieblingsodaliske hatte Wedekind seinen Erdgeist geschrieben. Die Modelle für die Lulu und für Doktor Schön standen ihm damals noch lebhaft vor Augen und er versuchte als Schauspieler noch einmal das Modell nachzuschaffen, das ihm beim Doktor Schön vorgeschwebt hatte. Das leise Hinken, das er vom Modell in die Darstellung des Doktor Schön übernahm, gab seiner Körperhaltung eine gewisse Richtung, [...][29].

Die Treue, mit der Wedekind auch als Schauspieler an einem empirischen Detail, dem Hinken seines vormaligen Gönners Willy Grétor, dem er später »Erdgeist« gewidmet hat, festhielt, ist beispielhaft für kolportagehafte Züge in den Lulu-Dramen: Lulu lernt in Paris bei Eugénie Fougère, einer berühmten Tänzerin der neunziger Jahre, die sie sogar ihre Kostüme kopieren ließ; die Hamburger Cholera-Epidemie von 1892 spielt eine Rolle bei ihrer Flucht; in London fällt Lulu keinem anderen – man möchte sagen, keinem geringeren – als Jack the Ripper zum Opfer. Das manchmal überkräftige kolportagehafte Lokalkolorit – in den ersten Fassungen der »Büchse der Pandora« wird zwei Akte lang ein merkwürdiges Französisch und Englisch gesprochen – bewahrt Wedekind vor einer falschen Stilisierung, der Gerhart Hauptmann bei einer vergleichbaren Problematik, der Beziehung Meister Heinrichs zu Rautendelein, in der »Versunkenen Glocke« nicht entgangen ist. Die kolportagehaften Züge bewahren Lulu vor trivialer Naturmetaphysik, der eine Figur wie Rautendelein zugehört, und verbieten eine Interpretation dieser Gestalt als „unbedingte Natur“ oder „reiner Trieb“.
Neben diesen Bestandteilen, die stilistisch dem Gesellschaftsstück zugehören oder an Kolportage erinnern und in ephemerer Weise in allen Fassungen die Lulu-Figur mitbestimmen, finden sich Zeichen von Stilisierung, die so augenfällig sind, daß Stilisierung zumeist als einzige Stilform dieser Dramen betrachtet wird. So hat Hugo von Hofmannsthal »Erdgeist« als dem einzigen Werk Wedekinds Achtung bezeugt und eine Verwandtschaft mit seiner »ägyptischen Helena« angedeutet:

---

[29] Wie Wedekind Schauspieler wurde. S. 123.

In meinem Notizbuch stand, vor Jahren eingetragen, dieser Satz von Bachofen: „Nicht dazu ist Helena mit allen Reizen Pandoras ausgestattet, damit sie nur einem zu ausschließlichem Besitz sich hingebe!"' Welche Dämonie entströmt solchem Satz! er könnte auf dem ersten Blatt von Wedekinds »Erdgeist« stehen; das war der Mann, den Gehalt eines solchen Satzes mit ganzem Ernst in sich auszutragen und etwas Merkwürdiges und Fürchterliches daraus zu machen.[30]

Als Erdgeist tritt Lulu neben Helena, die Heldin des späten klassizistischen Werks von Hofmannsthal: beide Dramen gestalten das Problem des Jugendstils, die Frage, wie Naturhaftes zum Gesellschaftlichen sich verhalte. Während Hofmannsthal Versöhnung von Natur und Gesellschaft thematisiert, die er mit der Erzählung von Helena in Ägypten, einem Nebenzweig der Helena-Sage, mythologisch bekräftigt, unterliegt bei Wedekind Natur einer Dialektik der Gewalt: Lulus Sieg über Dr. Schön, dessen äußerstes Mittel darin besteht, sie zum Selbstmord zu überreden, mobilisiert die atavistische Brutalität Jacks the Ripper, der die Bürger rächt. Während Dr. Schön bereits nach seinem Gespräch mit Schwarz, das zum Selbstmord des Malers führt, sagt: „Das war ein Stück Arbeit" (III, 53), gebraucht Jack diese Worte, nachdem er Lulu umgebracht hat. Die Aggressivität Schöns und die Jacks bilden eine Einheit von Theorie und Praxis.
Wie Helena ist Lulu mit vorgeschichtlichen, doppeldeutigen mythischen Zügen ausgestattet. Ihr Alter ist unbestimmt. Obwohl Schön sie „etwa seit ihrem zwölften Jahr" (III, 50) kennt,[31] und Lulu Schigolch frühestens zu diesem Zeitpunkt verließ, sagt sie zu Schigolch, der ihr den Namen gab: „Ich heiße seit Menschengedenken nicht mehr Lulu." (III, 40) Schigolch hält Lulu „wie ein kleines Kind in den Armen" und sagt zu ihr: „So hat es dich auch schon vor fünfzehn Jahren geschüttelt. Es hat seitdem kein Mensch mehr so geschrien, wie du damals hast schreien können" (III, 162), meint aber später, als Lulu nicht auf die Straße hinunter will: „Vor zwanzig Jahren war das um kein Haar besser; und was hat sie seitdem gelernt!" (III, 172f.) Für Dr. Schön und Alwa ist Lulu „Mignon". Nicht nur durch diesen Namen hat sie an der geheimnisvollen kindlichen Figur Goethes teil. Als Schwarz ihre „Tanzerei" – sie verbindet Lulu mit Mignon – verwünscht und sie über Wahrheit, Gott und Seele katechisieren will, entzieht sie sich:

[30] Gesammelte Werke, Prosa IV, S. 447.
[31] In dem ersten Druck »Der Erdgeist« (1895) heißt es noch bestimmt: „Seit ihrem zwölften Jahr" (S. 98).

„Ich darf ja nicht antworten!" (III, 32)[32] Die Anspielung auf Mignons Lied „Heiß mich nicht reden, heiß mich schweigen" erneuert die flehende Bitte „Mißgönnt der Erde nicht die tiefverborgnen Quellen"[33] gegenüber den patriarchalischen Forderungen, die Schwarz an Lulu richtet. Ebenso aber ist Lulu „Eva" (III, 28), das Urbild des Weibes. Ohne bestimmtes Alter vereinigt sie Kindlichkeit und Reife. Alwa sagt: „Sie hatte damals, obgleich sie als Weib vollkommen entwickelt war, den Ausdruck eines fünfjährigen, munteren, kerngesunden Kindes." (III, 176) Lulu ist nicht nur „Wunderkind" (III, 86)[34] wie Helena, sondern vereint auch die Abkunft aus dem Sumpf, die Helena in der alten, von Bachofen wieder aufgegriffenen Etymologie (Helena entstanden aus ἕλος Sumpf)[35] als Zeichen ihres Hetärentums zugeschrieben wurde, mit der Versetzung unter die Sterne als Lichtgöttin. Dr. Schön sucht sich im vierten Aufzug von dem Schmutz und Morast, die Lulu umgeben, zu retten. Lulu kommt „aus dem Wasser" (III, 36). Sie ist nicht bereit, „auch nur ein Haar breit ihres angestammten Sumpfes zu opfern"[36]. Bachofens Deutung: „In den Sumpfpflanzen zeigt sich die wilde Erdzeugung, die in dem Stoffe ihre Mutter und gar keinen erkennbaren Vater besitzt"[37], wirft ein Licht auf den Sinn, der dem Dunkel um Lulus Eltern innewohnt. Als Sumpfgeborene, amorpher Natur Entstammende hat Lulu keinen Vater (III, 86). Aus Schöns Entgegnung an Schwarz, der Lulus Schwur: „Bei dem Grabe ihrer Mutter!" Glauben schenkte: „Sie hat ihre Mutter nie gekannt. Geschweige das Grab. – Ihre Mutter hat gar kein Grab" (III, 53), darf – als der einzigen Erwähnung der Mutter – vielleicht geschlossen werden, daß Lulu einem gestaltlosen Mutterprinzip, wie es Bachofen als Erdzeugung beschreibt, entstammt, das man nicht „kennen" kann. Da Sumpf und Moder eher todbringend denn als Lebensspender einer reichen Pflanzenwelt erscheinen, so ist Lulus Mutter dem Tode näher als dem Leben: von

[32] In der Katechisationsszene von »Franziska« wird dieses Lied Mignons wörtlich zitiert (VI, 168).

[33] Goethe, W. A., Bd. II, S. 113.

[34] Sowohl im Entwurf einer »Leda für höhere Töchter«, der um 1890 entstand (vgl. Kutscher, Bd. I, S. 203), als auch in dem Mysterium von Christi Höllenfahrt in »Franziska« (VI, 197) hebt Wedekind diesen Zug hervor. Helena und Christus sind, als von Schwan und Taube Erzeugte, „Wunderkinder", die mit zehn Jahren in Athen und Jerusalem Staunen erregen.

[35] Das Mutterrecht, Erste Hälfte. In: Gesammelte Werke, Bd. II, S. 238.

[36] Der Erdgeist, S. 202. Auf den Satz „Hast du dir die Glücksgüter der guten Gesellschaft in den Schoß regnen lassen, um auch nur ein Haar breit deines angestammten Sumpfes zu opfern?" (ebd) scheint Wedekind später, um unnötigen Anstoß zu vermeiden, verzichtet zu haben.

[37] Mutterrecht, S. 238.

ihr kann eher gesagt werden, daß sie kein Grab habe, als daß sie lebe. Lulus Herkunft von der Erde bedeutet nicht den Segen der Natur. Wie Pandora, die Vulkan aus Wasser und Erde formte, bringt Lulu Krankheit und Tod. Schön sagt von ihr: „Du haftest mir als unheilbare Seuche an [...]." (III, 93) Sie steckt Alwa an. Ihr selbst aber kann die Krankheit nichts anhaben (III, 175), vielmehr heißt es von ihr: „Was uns unter die Erde bringt, gibt ihr Kraft und Gesundheit wieder." (III, 124) Wie ihre mythologischen Vorbilder Helena, die unter die Sterne versetzt wurde, und Pandora, die von den Göttern mit Schönheit beschenkt wurde, vereinigt Lulu den Schmutz der Erde mit himmlischer Schönheit. Als „Engelskind" (III, 15) greift sie in den Himmel und steckt sich die Sterne ins Haar, ist sie „von oben her" (III, 49). Alwa sagt von ihr: „Was solche Himmelspracht an höllischen Abgründen aufthut!"[38] Während Schigolchs „Wir sind Moder" (III, 42) auch Lulu gilt, ist sie für die Gräfin Geschwitz „Mein angebeteter Engel! [...] Mein Stern!" (III, 190, vgl. auch 193) In der Handlung von »Erdgeist« wird Lulus mythische Erscheinung am Schluß des Dramas manifest. Das Zusammentreffen der vielen Personen ist nicht, wie Kutscher meint,[39] der besonderen Handlungsmotivation bedürftig, sondern die Ansammlung der Figuren repräsentiert nach Geschlecht, Alter und gesellschaftlichem Rang die menschliche Verfallenheit an den Trieb, an die Herrschaft der venus vulgivaga.

Identität im Bilde

Die stilistische Vermittlung der beiden Bereiche, der Mythisierung und des konversationsstückhaft Realistischen scheint durch das Medium der Kunst, Lulus Portrait, intendiert. „In jedem Akt spielt das Bild des Pierrot seine immer gleichbleibende Rolle als Motiv. Es taucht in jedem gesellschaftlichen Rahmen auf, der als Hintergrund Lulus jeweilige Wandlung profiliert."[40] Über diese Funktion als Motiv hinaus löst das Bild den Widerspruch zwischen mythischem, übergeschichtlichem Erdgeist und der vom Altern nicht verschonten femme fatale auf. Schwarz weist auf das Bild: „Der ganze Körper im Einklang mit dem unmöglichen Kostüm, als wäre er darin zur Welt gekommen." (III, 15) Lulus Physis ist das Kostüm nicht aufgezwungen, vielmehr besteht die innigste Übereinstimmung ihrer Natur mit diesem Bedeutung stiftenden Requisit. Das Kostüm ist als „unmögliches" inkommensurabel und hat keine Funktion im konventionellen Sinne.

---

[38] Der Erdgeist, S. 189.

[39] Kutscher, Bd. I, S. 351.

[40] Milkereit, Idee, S. 3.

Seine weiße Farbe weist auf Transzendenz und umgibt den „rosig-weißen strotzenden Körper" (III, 180), den Inbegriff von Naturschönheit, mit Scheinhaftigkeit.[41] Lulus Verhältnis zu ihrem Bild darf jedoch nicht als Beziehung der getrübten Erscheinung zum Wesen gedeutet werden,[42] weil das Bild so sehr mit Lulu eins ist, daß es auch die femme fatale vertreten kann. Schwarz erläutert, „auf das Bild deutend", Lulus „Koketterie": „Da zeigt sie in dem kräftigen matten Fleischton zwei brandschwarze Löckchen – gefärbt natürlich"[43], und bringt damit die Differenz von Bild und Abgebildetem zum Schwinden. Diese Identität geht so weit, daß das Bild nicht nur momentan Lulu vertritt, sondern Lulu seine Stelle einnimmt und das Bild überflüssig wird. Das geschieht im dritten Akt, der in der Theatergarderobe spielt. Durch den häufigen Wechsel der Kostüme[44] rückt hier Lulu selbst in den Bereich des Scheins, für den vorher das Pierrot-Kostüm auf dem Bilde einstand. Ihre Bemerkung, daß sie sich „rascher allein" (III, 67) ohne Garderobiere umkleiden könne, bekundet, wie sehr ihr die Sphäre des Scheinhaften vertraut ist; sie bedarf fremder Hilfe nicht. Es verbietet sich aber die Deutung, daß Lulu hier völlig an die Stelle des Bildes getreten sei. Ihr Geständnis: „Ich bin immer so aufgeregt beim Ankleiden" (III, 69), mit dem sie die ungeschickte Verknotung der Korsettbänder entschuldigt, macht deutlich, daß sie sich nicht ohne alle Schwierigkeit kostümiert. War der „Einklang" von Körper und scheinhaft-zeitlosem Gewand das Charakteristische des Bildes, so heißt es in

[41] Es ist nicht unwahrscheinlich, daß die Pierrot-Gedichte von Albert Giraud die Quelle für das Pierrot-Motiv im Lulu-Drama abgaben. Wedekind schrieb am 9.1.1893 an Karl Henckell: „Zu Weihnachten erhielt ich einen sehr hübschen Brief von Erich Hartleben, in dem er mir seine Freundschaft ankündigt. Er schickte mir zugleich seinen Pierrot Lunaire. Was meine eigenen Arbeiten betrifft, so webe ich [...] wieder an einem Gewand der Penelope. [...] Es wird eine fünfaktige Schauertragödie, wenn es je etwas wird. Über den ersten Akt bin ich noch nicht hinausgekommen." (Briefe, Bd. I, S. 246). Eines dieser Gedichte lautet in der Übertragung von Hartleben: „Das heilige Weiß. / Das Weiß der Schwäne und des Schnees, Das Weiß der Lilien und des Mondes Galt zu Pierrots entschwundenen Zeiten Als vierfach heiliges Symbol. / Es herrschte mit geweihtem Zeichen In seinen mystischen Feerien Das Weiß der Schwäne und des Schnees, Das Weiß der Lilien und des Mondes. / Verachtung alles niedren Glücks, Verachtung aller Sklavenseelen Gebot mit hehrer, stummer Macht, Durch eigne Reinheit triumphierend, Das Weiß der Schwäne und des Schnees!" (Giraud, Pierrot Lunaire, Berlin 1893, S. 40). Die weiße Farbe des Pierrotkostüms steht hier für die entschwundene Zeit, in der Reinheit herrschte. Gegenüber dem sinnlichen Glück, dem Ablauf des täglichen Lebens, gebietet das Weiß Verharren in ungeschichtlicher, „heiliger" Reinheit. Mit diesem Gestus ist der Pierrot als eine Gestaltung unfruchtbarer Reinheit in den Jugendstil eingegangen.

[42] Diesen Versuch unternimmt G. Milkereit, vgl. S. 3.

[43] Der Erdgeist, S. 16.

[44] auf den im Dialog mehrmals eingegangen wird, vgl. III, S. 62, 67, 69.

der Theatergarderobenszene von Lulu selbst: „*Escerny:* Ich finde, sie sieht in dem weißen Tüll zu körperlos aus. *Alwa:* Ich finde, sie sieht in dem Rosatüll zu animalisch aus." (III, 70) Wie das Bild vereinigt Lulu die Gegensätze von Körperlosigkeit und Animalität. Daß die Urteile Escernys und Alwas nicht nur die Verschiedenheit der Kostüme, die Lulu nacheinander trägt, aufzeigen, sondern daß die Einheit dieses Gegensatzes Lulus Wesen ausmacht, geht aus Alwas Erinnerung hervor: „[...] dann kam sie in Rosatüll – sie trug nichts darunter als ein weißes Atlasmieder – [...]." (III, 176) Lulu tritt Dr. Schön im rosa Ballettkostüm über dem weißen Atlaskorsett entgegen: durch den Rosatüll, „das Weibliche ihrer Natur" (III, 71), schimmert der weiße Atlas, der Stoff des Pierrotkostüms (III, 16) und das Signum ihrer Scheinhaftigkeit. Standen in »Frühlings Erwachen« Kinder für die Unschuld des Sexus ein, so bezeugt auch in »Erdgeist« Kindlichkeit Lulus Unschuld. Alwa: „Der weiße Tüll bringt mehr das Kindliche ihrer Natur zum Ausdruck!" Darauf Escerny: „Der Rosatüll bringt mehr das Weibliche ihrer Natur zum Ausdruck!" (III, 71) Lulus Animalität und Weiblichkeit halten Körperlosigkeit und Kindlichkeit die Waage. Ihre Schönheit ist vom Tode bedroht. Die Bemerkung Escernys, daß sich Lulu im Tanz an ihrer Schönheit, „in die sie selber zum Sterben verliebt zu sein scheint" (III, 66), berausche, gibt Lulu die Verklärtheit einer Todgeweihten.

Vorweggenommen ist diese Läuterung zur Kindlichkeit bei Nietzsche. Im »anderen Tanzlied« Zarathustras heißt es vom „Leben" – man ist versucht, den Namen Lulu dafür zu setzen –: „– wer haßte dich nicht, dich große Binderin, Umwinderin, Versucherin, Sucherin, Finderin! Wer liebte dich nicht, dich unschuldige, ungeduldige, windseilige, kindsäugige Sünderin!"[45] Der Haß auf den Verlust der Freiheit schlägt um in die Verehrung der kindlichen Unschuld, welche dem Treiben des Lebens mit zugehört. Wedekind hat „des Lasters Kindereinfalt", wie es im Prolog zum »Erdgeist« heißt (III, 10), auch an den Vorformen der Lulugestalt dargetan. Von Aennchen Tartini, die ihren „Leib vogelfrei"[46] erklärt, wird gesagt: „In den Beinen die Reclame / Und das Aug' voll Kindersinn."[47] Im Gegensatz zu ihren Maximen – einer venus

[45] Also sprach Zarathustra. Musarion-Ausgabe, Bd. XIII, S. 139. Kutscher berichtet, daß Wedekind schon früh ein Exemplar des Zarathustra besaß (Bd. I, S. 91). Nicht zuletzt wegen seiner Tanzlieder heißt es von Nietzsche: „Das göttlichste Tanzgenie, das die Welt je gesehen." (Zitiert nach: Kutscher, Bd. I, S. 306).
[46] Aennchen Tartini, Die Kunstreiterin. Große Romanze in sieben und sechzig Strophen und einem Prolog, mit einem sozialen Hintergrund, gesetzt und gesungen durch einen alten Leierkastenmann zu München im Jahre des Heils 1887. MSS Bl. 5r.
[47] ebd, Bl. 6v.

vulgivaga würdig – ist sie schüchtern, als der erste Liebhaber naht: „In den hellen Augen tropft es, / Wie der Thau im Sonnenschein.“[48] Dem Kandidaten der Theologie Elias naht im Traum die Schwester mit verführerischem Reiz. Es fehlt jedoch nicht der Hinweis auf die „Engelsunschuld“ (IX, 23) ihres Gesichtes als Kontrast zur Verlockung des Körpers. Die Befreiung von diesem Traum findet Elias in der Liebe zu Ella, der Tochter Schigolchs[49]; sie vertritt in »Elins Erweckung« die Unschuld der natürlichen gegenüber der gesellschaftlichen Moral, die Graf Schweinitz repräsentiert. Filissa, die Kaiserin von Neufundland, maßlos wie eine unerschlossene terra nova, ist „eine kleine, schmächtige, etwas fragile, äußerst graziöse Erscheinung, mit [...] etwas schmachtendem, kindlich-jungfräulichem Ausdruck [...].“ (IX, 339)
Die Identität von Lulu und ihrem Bilde stellt sich noch einmal im letzten Akt der »Büchse der Pandora« her. Das Bild ist „außergewöhnlich stark nachgedunkelt“ (III, 182) und am Rande blättert die Farbe ab (III, 181). Lulus Verfall zeigt sich auch an ihrem Bilde. Es hat keine unabhängige Existenz, sondern ist vom Schicksal des Abgebildeten mitbetroffen. Diese unmittelbare Beziehung von Bild und Abgebildetem, die Vertauschbarkeit von Kunst und Realität, ist für das fin de siècle typisch; sie beruht auf der ästhetizistischen Auflösung des ästhetischen Scheins. In Oscar Wildes »Picture of Dorian Gray« (endgültige Fassung 1891)[50] zeigen sich auf Grays Portrait die Spuren seines Lebens, während er selbst wie ein Kunstwerk vom Verfall unberührt bleibt. Das Bild des Pippo Spano in Heinrich Manns Novelle (1902)[51] hat lebendig sich verändernde Gesichtszüge und wirkt unmittelbar auf die Handlungen des Helden ein. Obgleich ein Kunstwerk, vertritt es die ungebrochene Lebenskraft, der sich der Dichter Malvolto nicht gewachsen zeigt, so sehr er sie erstrebt. Diesem Motiv liegt – sei es nur beiläufig, wie bei Wedekind, oder als Problem der Werke gestaltet, wie von Oscar Wilde und Heinrich Mann – eine äquivoke Beziehung von Kunst und Leben zugrunde. Sie deutet auf die Schwierigkeit des Jugendstils, daß Ursprünglichkeit nur im Medium der Kunst, die als Schein Antithese des Ursprungs ist, sichtbar werden kann. Die scheinbare Lösung des Problems liegt in der Prämisse, daß Ursprüngliches immer schon ästhetisch sei. Bevor Lulu auftritt, ist sie durch ihr Portrait Mittelpunkt; auch in Wildes Roman geht der Vertauschung von Kunst und

---

[48] ebd, Bl. 9v.
[49] Vgl. Kutscher, Bd. I, S. 168.
[50] Wildes Roman ist möglicherweise Quelle für das Bildmotiv in den Lulu-Dramen, vgl. Kutscher, Bd. I, S. 263.
[51] zuerst veröffentlicht in: Flöten und Dolche, München 1905. Geschrieben 1902, vgl. H. Mann, Briefe an K. Lemke und K. Pinkus, S. 45.

Wirklichkeit die Identität von Bild und Abgebildetem voraus; bei Heinrich Mann ist die Echtheit der Darstellung ursprünglicher Kraft durch die Kunst des Renaissancemeisters verbürgt. Trotz der Teilhabe an Lulus Verfall ist das Bild nicht so nachgedunkelt, als daß Alwa nicht von ihm sagen könnte:

> Diesem Porträt gegenüber gewinne ich meine Selbstachtung wieder. [...] Wer sich diesen blühenden, schwellenden Lippen, diesen großen unschuldsvollen Kinderaugen, diesem rosig-weißen strotzenden Körper gegenüber in seiner bürgerlichen Stellung sicher fühlt, der werfe den ersten Stein auf uns. (III, 181)

Diese Worte, denen die eingehende Konfrontierung von Bild und Person folgt (III, 182), machen die stilistische Widersprüchlichkeit der Lulu-Figur manifest und weisen darüber hinaus auf die ästhetische Intention: Lulu soll sich sowohl zeitenthoben als auch der Zeit unterworfen darstellen. Nicht in der Harmonie des Portraits bietet sich das Wesen der Lulu unverstellt dar, sondern es besteht in der bruchhaften allegorischen Konfiguration der Lulu des Portraits mit der verblühten Frau „in abgerissenem schwarzen Kleide" (III, 172). Konversationsstückartige Elemente und mythologisierende Stilisierung werden allegorisch vermittelt.

Konkretion und Stilisation

Franz Blei, der Wedekind die Absicht unterstellt, daß er lediglich Nymphomanie naturgetreu habe darstellen wollen, und deshalb von der Lulu-Figur ausschließlich bewußtlose Animalität verlangt, beschreibt das konstruiert Allegorische dieser Gestalt, wenn er sagt, sie erinnere ihn „manchmal an eine Maschine, die [...] ihr Erfinder vorführte: sehr geistreich war sie und sprach er auch darüber, um am Schluß zu sagen: ‚Sie hat nur einen Fehler: sie geht nicht'."[52] Wenig später kritisiert Blei, daß Lulu „manchmal schon auf Draht gezogen" sei, „um sie zu symbolischer Bedeutung zu versteifen."[53] Gewaltsam, der Drastik der „Schauertragödie"[54] zuwider, erlangt Lulu Bedeutung. Die Gewaltsamkeit dieses Verfahrens aber entspringt nicht so sehr, wie Franz Blei annimmt, dem Versagen Wedekinds, als vielmehr der allgemeinen literarischen Situation, die einen Ausweg aus der Sackgasse des Naturalismus zu finden erforderte. Im Gegensatz zu den Naturalisten, in deren Werke

[52] Marginalien zu Wedekind. In: Das Wedekindbuch, S. 140.
[53] ebd, S. 144.
[54] siehe Anmerkung 41.

Natur nur unter dem Aspekt des Physiologischen einging, stellte sich Wedekind dem Problem der uneigentlichen, allegorischen Darstellung von Naturhaftem. In dem frühen Aufsatz »Zirkusgedanken« heißt es von dem „jugendlich, zartgebauten Rapphengst mit den dunklen Kinderaugen" (IX, 294):

> Trommeln und Trompeten spenden einen dreifachen Tusch, der siegreiche junge Held aber, seines Wertes sich [...] zur Genüge bewußt, verzögert nicht einmal seine Schritte, sondern verschwindet, [...] als wäre nichts Bemerkenswertes geschehen, mit möglichster Behendigkeit [...]. – Und wendet mir nun irgendein grunderfahrener Pferdepsychologe sehr richtig ein, daß das arme Tier froh gewesen sei, nur endlich wieder hinauszukommen, so geb ich ihm in dieser seiner Auffassung völlig recht und verlange nicht einmal dafür, daß er mir gegenüber desgleichen tue. (IX, 296)

Wedekind, der gegen seine sinnbildliche Auslegung den Einwand des Pferdepsychologen anführt, ihn sogar billigt, versucht nicht darüber hinwegzutäuschen, daß einer Dressurleistung die auf das Menschliche übertragene Metapher als Sinn nicht unmittelbar innewohnt, daß Sein und Bedeuten nicht aus der Natur der Sache heraus identisch sind. Jedoch gerade diese Differenz erbringt die „plastisch-allegorische Darstellung einer Lebensweisheit" (IX, 297). Der Auftritt eines Springpferdes wird unter drei verschiedenen Aspekten betrachtet: als Metapher, als Dressurakt und schließlich als plastisch-allegorische Darstellung.[55] Wedekind, der in provokatorischer Absicht einem Dressurakt eine derartige Bedeutung vindiziert, läßt sich bei der Darstellung Lulus nicht, wie Franz Blei es möchte, auf das Sexuell-Pathologische einengen. Wedekind trägt diesem Bereich durchaus Rechnung und entschuldigt sich in der skizzierten Vorrede, der naturalistischen Terminologie folgend, damit, daß der „behandelte Stoff" „typisch" sei und „an der Hand der Natur controliert werden" könne.[56] Was aber darüber hinaus an Lulu nur „geistreiche Konstruktion" zu sein scheint, die symbolische Bedeutung, ist eigenständiges

[55] Die Charakterisierung der Zirkusszene als „plastisch-allegorische Darstellung" verweist darauf, daß im Jugendstil Natur- und Kunstschönes nicht grundsätzlich durch ästhetischen Schein geschieden sind. Für den Künstler des Jugendstils sind sie so verwandt, daß Wedekind von einem jungen Mädchen erzählen kann: „Ich frage sie, ob sie nie Modell gesessen. [...] Ich gebe ihr die Adresse der Breslau (bekannte Malerin), sie solle doch mal hingehen, [...]. Sie erinnert mich nämlich an das Feinste und Deliziöseste, was ich je von der Breslau gesehen." (Kutscher, Bd. I, S. 265). Das Kunstschöne ist für den Jugendstil in der Natur selbst ansässig als „Kunstformen der Natur", wie der Titel des Haeckelschen Prachtwerkes lautet.

[56] Notizbuch 1, Bl. 23rf. Kutscher datiert die Vorrede auf April 1894, vgl. Bd. I, S. 378.

Korrelat zum Bereich der Pathologie, das sich den Kriterien des Physiologen entzieht. So bezeichnet es den engen Bezug von pathologischem Detail und poetischer Bedeutung, daß im dritten Akt der »Büchse der Pandora« dem Verlauf einer Geschlechtskrankheit ein doppelter Sinn abgewonnen wird: die medizinische Tatsache der erworbenen Immunität deutet einmal auf Lulus Kreatürlichkeit, ist aber zugleich Anlaß, ihr das Attribut „Engel" zum Zeichen ihrer Unschuld zu vindizieren (III, 175). Diese Ambiguität, in der sich das Motiv der Krankheit naturalistisch-plastisch und bedeutend-allegorisch darstellt, weist auf das besondere stilistische Verhältnis von stofflichem Substrat und poetischer Bedeutung bei Wedekind gegenüber dem Naturalismus, der auf möglichst reine Wiedergabe der Realität abzielt, wie auch gegenüber dem Symbolismus, der, gegen Empirisches idiosynkratisch, einen unabhängigen ästhetischen Bereich zu stiften sucht. Nicht daß die Intention, Naturalismus und Symbolismus zu übergreifen, schon eine höhere Qualität garantierte, aber es erhellt sich daraus die Paradoxie von Wedekinds Stilwillen, welche die Gestaltung der Lulu-Figur durchzieht und die Arbeit am Dramenkomplex nicht wirklich zum Abschluß kommen ließ. Den Zwang, Lulu aus gegensätzlichen Stilbereichen entstehen zu lassen, übt der Widerstreit zwischen der Macht des Ursprungs, die Wedekind Lulu verleihen will, und der Gewaltsamkeit einer Realität, an der sie schließlich zugrunde gehen muß. Wedekinds Absicht, „die außergewöhnlichen Naturanlagen einer primitiven Frauennatur" (IX, 440) als wahre und unverstellte Natur zu feiern, widerstreben die Erfahrung der naturalistischen „Wahrheit" – welche die Nachtseite des Sozialen nur zu berechtigt ins Drama einführte – und die künstlerische Forderung der neuen Ästhetik des Häßlichen, die den Hymnus auf die Natur nicht zuließ.

Erdgeist und patriarchalische Ordnung

Georg Lukács' Beschreibung der stilistischen Aporie des modernen Dramas könnte geradezu am Lulu-Drama gewonnen sein:

> So ist jedes moderne Drama gleichzeitig und untrennbar intim und monumental. Die Stilfrage ist gerade die, wie man [...] das eine irgendwie in das andere hineinfassen kann: wie Monumentalität hineintragen in die intime Wirkung, [...]. Die stetigen und vielfach ganz plötzlichen von einem Extrem ins andere umschlagenden Wendungen des Dramas vom Naturalismus zur Stilisierung (und umgekehrt) sind auf das Gefühl dieser Paradoxie zurückzuführen, darauf, daß nach welcher Rich-

tung immer jeder einseitige Versuch steril bleiben muß, weil er des Lebens ganze Fülle und Vielseitigkeit nicht auszudrücken, nicht in sich zu fassen vermag.[57]

Lukács nimmt der stilistischen Widersprüchlichkeit bei Wedekind den Makel des Zufälligen, das dichterischer Unzulänglichkeit zugeschrieben werden müßte. Sein Hinweis, der selbst noch dem emphatischen Lebensbegriff des Jugendstils verpflichtet ist, daß die stilistische Schwierigkeit aus dem Versuch, des „Lebens ganze Fülle" zu gestalten, erwächst, bezeichnet die Problematik literarischen Jugendstils. Die Notwendigkeit, diesen Begriff in die Literaturgeschichte einzuführen, beruht darin, daß das problematische Verhältnis zwischen der auch psychologischen Kategorien standhaltenden Wiedergabe unmittelbaren Lebens und seiner Stilisierung ein allgemeines Phänomen darstellt, das mit den Begriffen Naturalismus, Symbolismus oder Expressionismus nicht erfaßt werden kann. Halbes »Jugend«, Hauptmanns »Hannele« und Wedekinds »Frühlings Erwachen« und den Lulu-Dramen ist ein stilisierendes Moment gemeinsam, das die im Drama dargestellte Realität relativieren und einen auf dieser Realitätsebene nicht faßbaren Bereich zur Geltung bringen soll. Bei Halbe wird dieser Stilisierungsversuch nur äußerlich durch die Titelveränderung unternommen; die vitalistische Überhöhung bleibt dem fatalistischen Handlungsablauf fremd. Um so deutlicher tritt in der Diskrepanz von Titel und Inhalt die problematische Intention hervor, die dort das Vorrecht der Jugend proklamieren will, wo Leidenschaft als Folge erblicher Belastung und auf einem fixierbaren Punkt der männlichen Jugendentwicklung dargestellt wurde. Der stilisierende Titel »Jugend« bringt programmatisch zum Ausdruck, was die Handlung selbst nicht darstellen kann. »Hannele« dagegen konfrontiert soziales Elend und seine Aufhebung in der Himmelfahrt. Mit solcher Konsequenz sind die beiden Sphären gegeneinander gestellt, daß Not geradezu die Voraussetzung von Verklärung bildet. Ein besonders jugendstilhaftes Element ist, daß die märchenhaft strahlende Darstellung des Religiösen durch Hanneles Unschuld motiviert wird, ihre Kindlichkeit die Aura

[57] Zur Soziologie des modernen Dramas, S. 704. In der »Entwicklungsgeschichte des modernen Dramas«, dessen Einleitungskapital »Zur Soziologie des modernen Dramas« ist, heißt es von Wedekinds Stil: „Es ist, als ob wir auf einmal von sehr nahe, dann wieder von einer sehr großen Ferne seine Menschen und deren Schicksale sehen würden: Nähe und Ferne, Typus und Individuum, Unmittelbarkeit und Deklamation, kalte Konstatierung und lyrische Trauer, Tragödie und Posse wechseln sich ab und werden verflochten in dieser Welt." (A modern dráma fejlödésének története. Budapest 1911, Bd. II, S. 376). Für die Übersetzung aus dem Ungarischen ist der Verf. Herrn Dr. P. Meller sehr zu Dank verpflichtet.

für das metaphysische Glück abgibt. In »Frühlings Erwachen« steht die Lebensmacht des Sexus der Heuchelei gesellschaftlicher Konvention gegenüber. Durch eine allegorisierende Darstellung, welche die Stimmigkeit der Konversation aufhebt, kommt dieser Gegensatz stilistisch zum Ausdruck. Ebenso zeigt die Lulu-Figur ein zwitterhaftes Wesen, eine Mischung aus gesellschaftsstückhaften und symbolistischen Elementen. Lulu ist unsterblich, so weit sie als Erdgeist-Pandora erscheint. In der trivialen Rolle eines heruntergekommenen Freudenmädchens hingegen findet sie ein glückloses Ende. Die widersprüchlichen stilistischen Elemente dieser Figur erweisen sich damit als formale Aspekte der inhaltlichen Problematik: die Geltung des „Ursprungs" innerhalb geschichtlicher Realität.

Die Forschung interpretierte bisher den Komplex der Lulu-Dramen als ein Werk, das sich aus »Erdgeist« und »Büchse der Pandora« zusammensetzt.[58] Sowohl die erste handschriftliche Fassung »Die Büchse der Pandora, Eine Monstretragödie«, die das Gesamtdrama enthält, als auch die letzte Fassung von 1913 »Lulu, Tragödie in fünf Aufzügen« erweisen den engen Zusammenhang von »Erdgeist« und »Büchse der Pandora«. Bis zur letzten Fassung von 1913 hat Wedekind jedoch in seinen Äußerungen über »Erdgeist« (IX, 426f., 33ff., 427f.), durch den Prolog und die Praxis der Aufführungen den „ersten Teil"[59] der Tragödie als eigenständiges Werk behandelt, und es erhebt sich die Frage, was die Selbständigkeit des »Erdgeist« für den Dramenkomplex bedeutet.

Einen eindeutigen Grund für die Loslösung der ersten drei Akte der »Monstretragödie« und ihre Umformung zum »Erdgeist« anzugeben, ist nicht möglich, bleibt es doch selbst dem treuen Biographen Artur Kutscher ungewiß, ob Wedekind „selber aus künstlerischen Gründen eine Teilung vornahm, oder ob er dazu – was wahrscheinlicher ist – genötigt wurde."[60] Die größte Veränderung gegenüber der »Monstretragödie« besteht in einem neuen dritten Akt, der in einer Theatergarderobe spielt. Lulu übt nun die von Dr. Goll erlernte Tanzkunst öffentlich aus. Dr. Schön erleidet eine erneute Niederlage und gibt seinen Widerstand gegen die Ehe mit Lulu auf. Wedekind hat auf diesen Akt in seiner letzten, der »Monstretragödie« angenäherten Fassung des Lulu-Dramas (1913) verzichtet. In der dramatischen Ökonomie von »Erd-

---

[58] So Hagemann, Wedekinds Erdgeist und die Büchse der Pandora, Diss. Erlangen 1926; Milkereit und Emrich.

[59] Von der 2. Auflage (1903) an erschien das Stück mit dem Titel »Lulu. Dramatische Dichtung in zwei Teilen. Erster Teil, Erdgeist«. In den Gesammelten Werken wurde jedoch auf diesen Gesamttitel verzichtet.

[60] Kutscher, Bd. I, S. 346.

geist« jedoch hat dieser Aufzug eine kompositorische Bedeutung. Wedekind selbst scheint auf den dramatischen Sinn dieses Aktes hinzuweisen, wenn er sagt, daß Schön „dem Publikum zur Verherrlichung der Partnerin vier Akte hindurch die Stirn zu bieten hat." (IX, 439) Diese gleichsam ornamentale Wiederholung deutet darauf, daß der Kampf des „menschlich Bewußten", als das Schön figuriert, gegen das Prinzip, welches Lulu vertritt, aussichtslos ist. Die Einteilung in vier Akte, eine unabgeschlossene gerade Zahl[61], macht den potentiell sich perpetuierenden Triumph des Erdgeistes über das hybride Bewußtsein des Dr. Schön sinnfällig. Im ersten Akt scheitert sein Plan, Lulu durch den Medizinalrat Dr. Goll verwahren zu lassen. Im folgenden Aufzug verursacht Schön den Selbstmord des Malers und ruft den Skandal hervor, den er sich gerade „vom Halse schaffen" (III, 47) will. Schön wird im dritten Akt zur Heirat durch die Situation gezwungen, die er selbst herbeiführte, um Lulu zu demonstrieren, daß sie nicht zur guten Gesellschaft gehört. Durch seinen letzten, größten Irrtum bringt sich Schön gleichsam selbst um, indem er Lulu durch Schuldgefühle zum Selbstmord zwingen will. Entbehren diese Versuche, Lulu zu beherrschen, nicht der „Donquichoterie", so scheitert er doch notwendig. »Erdgeist« ist die Tragödie Schöns, die Tragödie des Geistes, der an seiner vermeintlichen Naturbeherrschung zugrunde geht, denn diese verstellt Schön die Wahrheit über die eigene wie über die fremde Natur.[62]
Die vier aufeinanderfolgenden Niederlagen geben den Akten von »Erdgeist« etwas Statisches, gleichsam Ornamentales. Richard Hamann, der den Jugendstil später als eine die Linie betonende Form des Impressionismus begriffen hat,[63] gab in seinem Buch »Der Impressionismus in Leben und Kunst«, das als eine erste umfassende Darstellung des fin de siècle zu betrachten ist, nicht

---

[61] Benjamin, Ursprung des dt. Trauerspiels. S. 148f.
[62] Peter Michelsen, der Wedekind Konformität mit dem Bürgertum seiner Zeit vorwirft, sieht in Schön die spießige Verherrlichung des Dompteurs gestaltet, dem die Wildheit der Bestie „Weib" zum Genuß eigener Machtvollkommenheit dient S. 57). Für Schöns Untergang, der dieser angeblichen Wunschvorstellung von der Herrschaft des Mannes über das dressierte Tier widerspricht, weiß P. Michelsen keine andere Erklärung: „In die Blöße, die der ‚Gewaltmensch' Schön sich gibt, graben sich sofort ihre [Lulus] Krallen." (ebd, S. 57) Schöns Niederlage wird hier zufällig wie ein Unfall. Im Zusammenhang mit dem Vorwurf des Konformismus berührt es merkwürdig, daß Michelsen die Schlußverse des Tierbändigers aus dem Prolog, die dem Publikum gelten, auf „Wedekinds Idol vom Weib" (ebd, S. 57) bezieht. Der Tierbändiger sucht durch die Vorstellung das Raubtier „Publikum" zu bändigen, nicht aber das Raubtier „Weib". Schön, den Michelsen als Dompteur sieht, wird im Prolog wie Lulu durch ein Tier symbolisiert, den Tiger. Vgl. dazu S. 100 dieser Arbeit.
[63] vgl. Die deutsche Malerei vom Rokoko bis zum Expressionismus. S. 432.

zufällig am Beispiel von »Erdgeist« eine Beschreibung der „impressionistischen Form" in der Literatur, die wie eine Vorwegnahme seines späteren Jugendstilbegriffs anmutet:

> Die impressionistische Form ist [...] das Thema mit Variationen. Die einzelnen Akte des Dramas, die Kapitel des Romans stehen nicht in vorbereitendem und erfüllendem Verhältnis zu einander, sondern bilden selbständige Teile mit geschlossener Handlung und Entwicklung, die ein Grundthema in verschiedenen Variationen durchführen. [...] Am geistreichsten ist diese Form in Wedekinds Erdgeist durchgeführt, das technisch wohl das interessanteste Drama moderner Dichtung ist. In jedem Akt vollzieht sich dieselbe Handlung. Die Hauptperson ist ein Weib, aber kein tragischer Held, sondern der triumphierende, das Schicksal, das in jedem Akt einen Mann zu Grunde richtet. Den Medizinalrat Goll, einen Lebemann rührt der Schlag bei dem Anblick, der sich ihm bietet, als er in das Atelier zurückkehrt, in dem er seine Frau mit dem Künstler eine Zeitlang allein gelassen hat, um sie malen zu lassen. Dieser Künstler entleibt sich selbst, als ihm die Augen über die Vergangenheit und Gegenwart dieser seiner Frau geöffnet werden. Im dritten Akt wird ein afrikaforschender Prinz gütlich beiseite geschoben; im letzten Akt wird der Gatte, der durch das ganze Stück hindurch der Liebhaber dieses Weibes war, von ihr selbst erschossen, als er, von einem halben Dutzend Liebhabern seiner Frau zu gleicher Zeit betrogen, sie zwingen will, selbst ihrem Leben ein Ende zu machen. Auch darin ist das Stück ganz und gar modernste Dramatik, daß das Geschehene selbst uninteressant und in einem unmöglichen, nur skizzierenden parodistischen Stil vorgeführt wird, um ein Thema zu illustrieren und einen Typus zu schildern. Das Thema des Weibes, das über den Mann hinaus ist, sobald sie ihn unterjocht hat. Das ganze Stück wiederholt so das Thema jedes einzelnen Aktes, indem Dr. Schön, der schon im ersten Akt ihr Liebhaber ist, erst im letzten ihr Gatte wird. Und ein Typus, der Erdgeist, die moderne Gattung des ewig Weiblichen, das die Männer wechselt wie die Kleider. In jedem Akt führt „der Erdgeist" einen anderen Namen, und nach jeder Katastrophe zieht sie sich um. Der Schluß ist ein musikalischer, kein dramatischer. Die burleske Zusammenführung einer ganzen Menagerie eingefangener Liebhaber, unter denen ein Primaner und eine malende Gräfin, entspricht einem lauten, mit Pauken und Posaunen dröhnenden Schlußakkord. Es könnte noch immer so weiter gehen, aber man hat genug.[64]

[64] Der Impressionismus. Köln 1907, S. 76f.

Als „Thema mit Variationen“ steht »Erdgeist« dem Lustspiel nahe, so daß Wedekind dem Regisseur Georg Stollberg für eine »Erdgeist«-Inszenierung danken konnte: „Vor allem fand ich alle vier Akte ungemein farbig, lebendig und lustig.“[65] Lulu ist im Verlauf des Dramas nicht wahrhaft gefährdet; ihre sich wiederholenden Siege demonstrieren ihre Schicksalslosigkeit. Mit ihr überdauert die „Urgestalt des Weibes“ (III, 10), die sie als immer gleiches Lustprinzip personifiziert. Wenn es im Prolog zum »Erdgeist« heißt: „Doch warten Sie, was später wird geschehen: / Mit starkem Druck umringelt sie [die Schlange] den Tiger; / Er heult und stöhnt! – Wer bleibt am Ende Sieger?! –“ (ebd), so zerstreut diese Umschreibung des Dramenverlaufs zusammen mit dem Tode Schöns den Zweifel an Lulus Überlegenheit. Obwohl die Ankündigung der Polizei, die in der ersten handschriftlichen Fassung zu fehlen scheint,[66] den Druck der Illegalität andeutet, der später auf Lulu lastet, bleibt sie in »Erdgeist« Sieger.

Eine Parallele zu dieser Verherrlichung des Lustprinzips bietet das gleichzeitige Dramenfragment »Sonnenspektrum«. Sein Untertitel »Ein Idyll aus dem modernen Leben« zeigt die Versöhnung der utopischen Idylle mit der realen Gegenwart. Im Freudenhaus, unter dem Matriarchat von Madame, halten Kultur und Natur Einstand,[67] heben sich die Gesellschaftsstufen auf. Es heißt von diesem Ort: „Hier tut einem niemand ein Leid. Hier weint man nur Freudentränen!“ (IX, 149) Zwischen dem Herren und dem Bedienten macht man keinen Unterschied (IX, 153), auch „höhere Töchter“ (IX, 152) finden hier ihre Bestimmung. Durch den Vergleich der Kunst des Dichters mit der des Freudenmädchens (IX, 171)[68] wird die Aussöhnung von

---

[65] Briefe, Bd. II, S. 250.

[66] Kutscher erzählt: „Schöning stirbt, und Lulu flieht nach Paris.“ (Bd. I, S. 345).

[67] Schon in »Frühlings Erwachen« kündigt er sich im Monolog Wendlas an: „Der Weg ist wie ein Pelücheteppich – kein Steinchen, kein Dorn.“ (II, 134). Die Entwicklung dieser Versöhnung verläuft jedoch nicht gradlinig, so sagt Lulu im Entwurf des Notizbuches noch: „Ich gehe hier überhaupt meistens barfuß. Wenn Du wüßtest, wie gern ich mir mal wieder Glassplitter in die Füße treten würde!“ (Notizbuch 15, Bl. 19r.). Mit diesem romantisch-antizivilisatorischen Drang erscheint sie der Bärbel aus »Nirwana« verschwistert, die stolz darauf ist, nur das zu besitzen, „was sich nicht bergen läßt / Unter Riegeln und Schlössern, / Und niemand angehört, / [...]“ (Nirwana. Musikdrama in fünf Aufzügen MSS Bl. 34r.). Diesen kulturfeindlichen Aspekt hat Wedekind später fallen lassen. In der publizierten Fassung von »Erdgeist« geht Lulu barfuß, weil sie Teppiche hat (III, 39), und als Schigolch sie – vom Luxus ihrer Wohnung beeindruckt – an die Vergangenheit erinnert, graut ihr davor (III, 41). Im Unterschied zu anderen Lebensreformern ist für Wedekind Natur nicht Alternative zur Gesellschaft, sondern Erweiterung. Vgl. dazu P. Michelsens Kritik an Wedekinds Naturbegriff, F. Wedekind, S. 50.

[68] vgl. auch die Worte des Komponisten. (IX, 141).

Kunst und Natur intendiert. Als „andachtsvoller Kultus" (IX, 141) verherrlicht die Kunst unmittelbar natürliche Schönheit und Sinnenfreude.[69] Die Nachtseite des Triebes tritt hinter dem „schönsten Regenbogen der Mädchen" (IX, 166) fast völlig zurück. Die Krankheit der nymphomanen Minetta wird nur beiläufig berührt. Der folgende Akt, in dem die Leichenwaschung Minettas und der Auftritt ihres Geistes geplant war, wurde nicht ausgeführt. »Sonnenspektrum« blieb Fragment. Wie in »Erdgeist« stellt sich Wedekind um seiner Utopie willen nicht dem selbstzerstörerischen Moment der Sexualität. In »Erdgeist« bringt Lulu den Männern, die sie autoritär ihren Projektionen anzugleichen suchen,[70] Verderben; die Freudenmädchen des »Sonnenspektrum« hingegen – von Wedekind nicht weniger als „Natur" konzipiert wie Lulu – gewähren den Männern, welche auf die patriarchalische Gängelung der Ehe verzichten und sich der Physis hingeben, Glück.

In der »Büchse der Pandora« finden Goll, Schwarz und Schön ihren Rächer in Jack the Ripper. Lulus Ungebundenheit wird zur Illegalität. Ihrem Untergang gemäß tritt hier die Stilisierung zurück.[71] Von ihrer unwiderstehlichen

---

[69] Der erste Untertitel von »Sonnenspektrum«, »Wer kauft Liebesgötter« (im Manuskript gestrichen), weist, neben der Erwähnung von Kaulbachs Gemälde im Stück selbst, daraufhin, daß die Darstellung des Erotischen, für die auch Kaulbach mit seinem Bilde eintrat, als Apologie des Sinnenglücks programmatischer Inhalt dieses Werkes ist. Vgl. auch die Übersicht bei Hamann/Hermand über den Kult der Sonne als Lebenssymbol (Impressionismus, S. 288f.).

[70] In der Projektion der Männer repräsentiert Lulu in jedem Akt von »Erdgeist« ein bestimmtes Lebensalter: Im ersten ist sie Kind (Dr. Goll tauft sie mit dem Ehekontrakt, III, 18); im zweiten Akt tritt ihr jungfräuliches Wesen hervor (Der innerliche Maler sagt: „Als ich sie kennenlernte, sagte sie zu mir, sie habe noch nie geliebt." III, 51); im folgenden ist sie die voll erblühte Frau (Der Décadent von Escerny sucht in ihr das Weib und sogar die Mutter seiner Kinder, vgl. III, 70); im vierten Akt erscheint Lulu, die ihre „ganze Jugend" (III, 95) dem gealterten Schön gegeben hat, in dessen Vorstellung als dirnenhafte, verlebte Frau, deren „Kredit erschöpft" (III, 93) ist. In der Darstellung der Lebensalter wird im Jugendstil der Kreislauf der Natur als das wahrhaft Dauernde dem kontinuierlichen Fortschritt der Geschichte entgegengestellt. Im »Erdgeist« ist diese Anreihung der Lebensalter freilich nur Arabeske, in der die verschiedenen Projektionen der Männer eine Zuordnung erfahren. Im »Tanzlied« des Zarathustra hat diese Darstellung ihr literarisches Vorbild. Es heißt dort von dem in der Frau personifizierten Leben: „Ob ich schon euch Männern die ‚Tiefe' heiße oder die ‚Treue', die ‚Ewige', die ‚Geheimnisvolle' / Doch ihr Männer beschenkt uns stets mit den eigenen Tugenden – ach, ihr Tugendhaften!" (Musarion-Ausgabe, Bd. XIII, S. 288).

[71] H.L. Schulte sieht darin einen Mangel gegenüber »Erdgeist«. Die »Büchse der Pandora« ist nach Schulte nicht nur darin unbefriedigend, daß Lulu nicht mehr im Mittelpunkt der Handlung steht, sondern weist noch „ein bedeutsameres Negativum auf: sie [Lulu] erscheint hier nicht symbolisch vertieft. Ihr fehlen insbesondere alle surrealistischen Züge." (Die Struktur, S. 93).

Schönheit, die sich in »Erdgeist« voll entfaltete, bleibt nur noch „der kindliche Ausdruck" (III, 182, vgl. 142, 143) der Augen als Merkmal ihrer Identität erhalten. Ihr erster Auftritt in der »Büchse der Pandora« zeigt sie in schwarzem Kleid; „auf Schigolchs Arm gestützt, schleppt [sie] sich langsam die Treppe herunter" (III, 138). Obwohl Lulu damit eine Täuschung beabsichtigt, erscheint dieser Auftritt als symbolische Vorwegnahme des letzten Aktes. Alwa bemerkt im Vergleich zu Lulus unveränderten Augen: „Deine Lippen sind allerdings etwas schmal geworden" (III, 142). Lulus körperlicher Verfall hat begonnen. Im zweiten Akt kann sie sich der erpresserischen Drohungen nicht mehr allein erwehren. „Vom Weinkrampf überwältigt" (III, 162), verliert sie ihre Selbständigkeit und wird wieder Schigolchs Kind. Mit seiner Hilfe spinnt sie ihre letzte Intrige und entzieht sich der Polizei. Hatte Lulu im zweiten Akt noch Casti Piani zu verstehen gegeben: „Ich kann nicht das Einzige verkaufen, das je mein eigen war" (III, 153), so findet sie sich im dritten Akt mit der Prostitution ab (III, 175) und empfindet sogar Befriedigung darin.[72] Das eindringlichste Indiz für ihren Verfall ist der abwehrende Aufschrei beim Anblick ihres Bildes (III, 181), mit dem sie sich noch im ersten Akt (III, 139 u. 140) so gern verglich. Außer dem kindlichen Ausdruck ihrer Augen besteht keine Ähnlichkeit mehr mit dem Portrait. „Wem sie heute in die Hände gerät, der macht sich keinen Begriff mehr von unserer Jugendzeit" (III, 182), kommentiert Schigolch. Die Lulu-Figur wird damit ihres zeitlosen Seins beraubt: als verblühende Frau ist Lulu sterblich. Auch der Titel »Büchse der Pandora«, der auf den ersten Blick nur eine andere Umschreibung für »Erdgeist« zu sein scheint, deutet auf Lulus Tod. Denn nicht etwa hat Lulu die Büchse in ihrem Besitz, sondern sie selbst ist die Büchse, durch deren Vernichtung Jack der Menschheit eine zweifelhafte Wohltat erweist. Kutscher hebt zu Recht die kompositorische Bedeutung der

[72] Nach ihrer Begegnung mit Hunidei sagt Lulu: „Hat mich der Mensch erregt!" (III, 180). Die erste Fassung der »Büchse der Pandora« zeigt Lulu, als Hunidei sie verläßt, „etwas verklärt" (Insel, S. 88). Da sich das abschließende Urteil der zweiten Strafkammer des Königlichen Landgerichtes ausdrücklich mit diesem Auftritt befaßte (vgl. Anm. 3), liegt die Vermutung nahe, daß Wedekind diesen weiteren Hinweis auf Lulus Befriedigung mit Rücksicht auf das Gerichtsurteil gestrichen hat. Wilhelm Emrichs Interpretation: „Sie [Lulu] hält die ungetrübte Moralität, die Reinheit ihrer Natur durch trotz aller Verstrickungen in die Unmoral gesellschaftlicher Moral" (Die Lulu-Tragödie, S. 211), ist vor dem Sachverhalt, daß Lulu sich erst mit aller Kraft gegen die Prostitution zur Wehr setzt, später aber selbst darin Befriedigung findet, nicht etwa dialektisch, sondern eine ontologische Abstraktion. Eine „reine Natur", die in der Prostitution schlimmster Art Erfüllung findet, ist keine reine Natur mehr, geschweige denn „ungetrübte Moralität".

Gestalt Jack the Rippers für die erste Fassung »Die Büchse der Pandora, Eine Monstretragödie« hervor,[73] denn der mythologische Titel bekommt seinen Sinn nur durch Jacks Tat.[74] Erst durch die Teilung der Tragödie, die dem Sieg über Schön ein eigenes Gewicht verleiht, wird Lulu Erdgeist.[75] In der »Büchse der Pandora« ist Jacks „Messeramt Symbol: er nimmt ihr [Lulu], womit sie an den Männern gesündigt hat."[76] Dieses „Unicum"[77], das Jack sich in anstrengender „Arbeit" (III, 193) erworben hat, erregt nicht nur seine Freude, für die Wissenschaft ist es wertvolles, pathologisch-anatomisches Anschauungsmaterial. In der handschriftlichen Fassung hat der Mord unverhüllt den Charakter zweckrationaler Naturbeherrschung. Jack sagt dort:

> I would never have thought of a thing like that. – That is a phenomen, what (sic!) would not happen every two hundred years. – – I am a lucky dog, to find this curiosity ... When I am dead and my collection is put up to Auction, The London Medical Club will pay a sum of threehundred pounds for that prodigy I have conquered this night. The professors and the students will say: That is astonishing! –[78]

Die Bedeutung des Mordes als Dienst an der Wissenschaft wird besonders dadurch pointiert, daß Wedekind das Moment der Anthropophagie, von der auch Krafft-Ebing im Zusammenhang mit Jack the Ripper spricht,[79] außer acht gelassen und Jack als einen zu Opfern und Anstrengungen bereiten

---

[73] Bd. I, S. 361.

[74] Wedekinds Interpretation der Büchse der Pandora als Sexualsymbol wird durch eine ältere, wenn auch nicht sehr verbreitete Tradition gestützt, vgl. D. und E. Panofsky, Pandora's Box. Anm. S. 77 und S. 79. Paul Klee zeichnete 1920 »Die Büchse der Pandora als Stilleben« und stellt sie – vielleicht durch Wedekind beeinflußt – „rendered as a kantharos-shaped vase containing some flowers but emitting evil vapors from an opening clearly suggestive of the female genitals" (ebd, S. 113) dar.

[75] Die letzte Fassung, welche dieselbe Akteinteilung wie die »Monstretragödie« hat, in der aber Jack nicht auftritt, heißt »Lulu. Tragödie in fünf Aufzügen«. Falls Wedekind nicht nur eine Verwechslung mit dem zweiten Teil der Lulu-Tragödie vermeiden wollte, wäre dieser Titel auch ein Indiz dafür, daß Jacks Mord der »Büchse der Pandora« den Namen gegeben hat.

[76] Kraus, Die Büchse der Pandora. S. 14.

[77] Die Büchse der Pandora. In: Die Insel, S. 105.

[78] zitiert nach: Kutscher, Bd. I, S. 361.

[79] „In die Reihe dieser psycho-sexualen Monstra gehört wohl auch der Frauenmörder von Whitechapel, auf den die Polizei noch immer vergeblich fahndet. Das regelmäßige Fehlen von Uterus, Ovarien und Labien bei den (10) Opfern dieses modernen ‚Blaubart' spricht überdies für die Annahme, daß er in Anthropophagie noch weitergehende Befriedigung sucht und findet." (Psychopathia sexualis, S. 53) Wedekind wird diese Stelle gekannt haben, vgl. Kutscher, Bd. I, S. 337.

Sammler wertvoller Präparate dargestellt hat. In der ersten veröffentlichten Fassung ist Jacks Drastik gemildert. Es heißt jetzt: „It was a hard piece of work! – I am a lucky dog, to find this Unicum!"[80] In der Fassung dieser Passage, die nach dem Prozeß entstand, äußert Jack nur noch: „Das war ein Stück Arbeit! – – Ich bin doch ein verdammter Glückspilz!"[81] Der klassifikatorische Begriff „Unicum" ist ausgemerzt, nur das Wort „Arbeit" erinnert noch an den gesellschaftlich sanktionierten Charakter von Jacks Verrichtung.[82] Lulus Tod ist aber nicht nur als Kritik an der patriarchalischen Gesellschaft motiviert – vielleicht liegt hierin auch ein innerer Grund dafür, daß Wedekind später die Anspielung auf Jacks Chirurgie gestrichen hat; ihr Untergang ist auch Liebestod. Schon als Kind ließ sie sich gern die Geschichte von Tristan und Isolde erzählen. (III, 176) Ihre „im Märchenton" gesprochenen Worte: „Mir träumte alle paar Nächte einmal, ich sei einem Lustmörder unter die Hände geraten" (III, 142)[83], lassen ihren Tod als Selbstzerstörung der triebhaften Frau erscheinen, die Wedekind später in »Totentanz« thematisierte. Als Folge schrankenloser Lust bedeutet ihr Tod Erfüllung in pessimistischem Sinne. In der Dachkammer[84], in der es „wieder dunkel wie im Mutterleib" (III, 184) wird, kehrt Lulu zum Ursprung zurück. Unter diesem Aspekt verliert Jacks Untat ihr gesellschaftskritisches Moment: der mißtrauische, puritanische Mörder, der „cannot waste money"[85], wird zum sadistischen Unge-

---

[80] siehe Nachweis 77.

[81] Die Büchse der Pandora. Neu bearbeitet und mit einem Vorwort versehen. Berlin (1906), S. 82. Vgl. die Vorrede, ebd, S. 56f. Diese Version ging in die folgenden Einzelausgaben und auch in die Gesamtausgabe ein.

[82] In der letzten Fassung »Lulu« (1913), in der Jack nicht mehr auftritt, sucht Lulu selbst einen „Arzt", S. 220. Vgl. dazu S. 123 dieser Arbeit.

[83] In der »Monstretragödie« finden sich diese Worte, sogar durch einen Todeswunsch erweitert, zu Beginn des zweiten Aktes in der Szene Lulu-Schwarz (vgl. Anm. 6). Diese Todesankündigung wurde in »Erdgeist«, schon im ersten Druck von 1895, gestrichen. Sie fügte sich nicht in die Handlung von »Erdgeist« ein, die gerade Lulus Unüberwindlichkeit gestaltet, ein weiteres Indiz für die Eigenständigkeit des ersten Teils. Im ersten Akt der »Büchse der Pandora« kennzeichnet sie als Verlust an Lebenswillen den Beginn des Abstiegs.

[84] In »Elins Erweckung« entläßt Schigolch seine Tochter ins Leben: „Kind, [...], wirst ja rund und fest. So geh nun, / Dich umzutun. Dir wird es noch so leicht, / Nur ohne Furcht. Das richt'ge Weiberherzchen / Nebst dem, was du in trauter Bodenkammer / Studiert, raubt dir kein Rost, kein Mottenfraß. / Und jetzt hinaus mit dir!" (IX, 37). An diesen Ausgang scheint Schigolch in der »Büchse der Pandora« zu erinnern: „Der erste Schritt kostet immer allerhand Ächzen und Stönen. Vor zwanzig Jahren war das um kein Haar besser; [...]. Wenn sie acht Tage dabei ist, halten sie keine zehn Lokomotiven mehr in unserer ärmlichen Dachkammer." (III, 172f.) Der Dachboden wäre somit Lulu nicht fremd, sondern Ort der Rückkehr.

[85] Die Büchse der Pandora. In: Die Insel, S. 102.

heuer, nach dem Lulu verlangt und dem sie im Kampf der Geschlechter unterliegt[86]. Wedekind verhält sich affirmativ gegenüber dem negativen Aspekt des Sexus und stellt die Realität des Todestriebes dar ohne Rücksicht darauf, daß Jacks Gewalttätigkeit gerechtfertigt erscheinen könnte, da dieser nur tut, was Lulu erträumte.

Diese doppeldeutige Todesmotivation läßt sichtbar werden, wie eng sich die lebensbejahende Intention auf Natur mit der pessimistisch gefärbten Darstellung der Realität, zu der auch der Todestrieb gehört, verbindet. Die Problematik, welche Stilisiertes und Konversationsstückhaftes, Mythologie und Kolportage zur „schlottrig schönen Form“[87] vereinigte, zeigt sich hier inhaltlich. Es ist dieselbe Problematik, die dem Triumph Lulus in »Erdgeist« die zwiespältige Wiederherstellung der patriarchalischen Ordnung folgen läßt. Karl Kraus kennzeichnet das Ungelöste der Lulu-Dramen:

> Die Frage, ob es dem Dichter mehr um die Freude an ihrem [Lulus] Blühen oder mehr um die Betrachtung ihres ruinösen Waltens zu tun ist, kann jeder wie er will beantworten. So kommt [...] auch der Sittenrichter auf seine Rechnung, [...] der in dem blutdampfenden Messer Jacks mehr die befreiende Tat erkennt als in Lulu das Opfer.[88]

Lebensbejahende „Freude“ und pessimistisch naturalistische „Betrachtung“ schließen einander nicht aus: Lulu endet sowohl als Märtyrerin, Opfer der Zivilisation, wie als Sünderin, die zu Recht mit dem Tode bestraft wird.[89] Karl Kraus hat das im Auge, wenn er eine eindeutige Stellungnahme des Dichters vermißt:

> Wedekind hat nicht klar genug den Gesichtswinkel gestellt, aus dem seine Realität zu betrachten ist. Der allzu objektive Schilderer der »Erdgeist«-Welt könnte am Ende sogar ein Philister sein, einer der im

---

[86] Auch der »Faustine«-Entwurf der Pariser Zeit (um 1895) gipfelt in diesem Kampf der Geschlechter, in dem Faustine getötet wird, vgl. Kutscher, Bd. III, S. 113.

[87] Prolog in der Buchhandlung (III, 117).

[88] Die Büchse der Pandora, S. 19. So attestiert auch das Landgericht, das Wedekind in erster Instanz freisprach, befriedigt, daß er seiner Heldin durch Jack the Ripper „eine Vergeltung auf Erden“ (Die Büchse der Pandora, Berlin 1906, S. 20) habe zuteil werden lassen.

[89] K.H. Schreyl bemerkt zum Frauenideal des Jugendstilplakats: „Der Mensch in dieser Kunstwelt ist dekorativ verfremdet, ein künstliches Gebilde. Nicht mehr die unkomplizierten Wesen Chérets sind Träger der Werbewirkung, sondern ein Frauenideal, das sich [...] in Extremen kristallisiert: In der großen Heiligen oder in der großen Sünderin, und zwar so, daß eines im anderen mitschwingt, kraft der Gleichgestimmtheit der ornamentalen Erscheinung.“ (Über das Plakat. In: Format, Jahrg. I 1965, Nr. 4, S. 57).

> Gegensatz zu seinen Gesinnungsbrüdern, bloß nicht heuchelt, sondern frei heraussagt, worüber man sich entsetzen soll. [...] Er hätte in unzweideutiger Weise zu erkennen geben müssen, daß ihm Lulu, die ihr eigenes Leben lebt, noch immer werthvoller scheint als jedes ihrer männlichen Opfer und alle zusammen genommen.[90]

Daß aber Wedekind nicht einfach ein reines Naturprinzip an der gesellschaftlichen Realität zugrunde gehen, sondern Lulu selbst an der schlechten Realität teilhaben läßt, macht gerade die Qualität der Lulu-Dramen aus.

„Rettung" wird Lulu einzig durch die lesbische Gräfin Geschwitz, ihre „unnatürlich" (III, 102) liebende Gegenfigur, zuteil. Sie bringt das Portrait, das Lulu einen Abglanz ihrer alten Schönheit verleiht, in die Dachkammer. Ihre Worte: „Lulu! – Mein Engel! Laß dich noch einmal sehen! – Ich bin dir nah! Bleibe dir nah – in Ewigkeit! [...]" (III, 193)[91], halten Lulu noch im Tode die Treue. Die „seelische" (III, 102), durch ihre Unnatur nicht an den Trieb gebundene Liebe (III, 188) der Gräfin richtet sich an das Portrait, als sei es Lulu selbst (III, 190): es ist die Scheinhaftigkeit dieser Liebe, die ihr Ewigkeit verleiht. In der triebfeindlichen, scheinhaften Liebe der Gräfin Geschwitz wird Lulu verklärt, erhält ihr Lebensprinzip Ewigkeit. Das Jugendstilmotiv der verklärten Unfruchtbarkeit, das in der Paradoxie Natur rettet, beschließt die Lulu-Dramen.

[90] (o. Titel) Die Fackel, Jahrg. V (1903), Bd. XVI. Nr. 142, S. 17f.

[91] Emrich interpretiert die Schlußsätze der Gräfin Geschwitz als „Segen und Verfluchung" (S. 220) ihrer Liebe zu Lulu. Der Fluch, den die Gräfin „in die Ellenbogen brechend" ausstößt, gilt jedoch nicht ihrer Liebe, sondern ihrem Sterben.

III

Die Konversationsstücke »Marquis von Keith« und »Hidalla«

Im Gegensatz zu »Frühlings Erwachen« und dem »Lulu«-Drama, wo verschiedene Stilebenen ,,Ursprung" und gesellschaftliche Realität konfrontierten, ist für »Marquis von Keith« und »Hidalla« ein einheitlicher Konversationsstil kennzeichnend, der den Handlungsbereich dieser Dramen auf die bürgerliche Gesellschaft beschränkt. Die Form des Konversationsstücks entspricht der neuen kritischen Stellung, die Wedekind jetzt zur Realisierbarkeit naturhaft-spontanen Lebens einnimmt; schließt doch das Konversationsstück einen außergesellschaftlichen Bereich aus. Wedekind gestaltet den Verlust seiner Hoffnung auf Vitalität und Schönheit, die der Gewalt des Faktischen erliegt.

Agenten des Prinzips

Das Drama »Der Marquis von Keith« war für die Zeitgenossen ein geistreiches, locker gefügtes Boulevardstück. Seine Hauptfiguren, der Marquis und Scholz, wurden nach dem Schema des Konversationsstücks lediglich als Bonvivant und Melancholiker kommensurabel (IX, 430), ohne daß über dieses psychologische Verständnis hinaus nach der Bedeutung der beiden Figuren gesucht worden wäre.[1] Das vordergründige Spiel des Dialogs überdeckte den

[1] Wieweit jedoch im »Marquis von Keith« die Problematik des Abenteurers – eine Figur, die in den Werken der Zeit im Anschluß an die Romantik zumeist eine irrationale Überhöhung erfuhr (vgl. dazu Richard Hamann, Jost Hermand, Impressionismus. S.63–73) – eine objektive Gestaltung erlangte, ist an dem Fragment »Ein Genußmensch« abzulesen. In diesem Vorstadium spiegelt sich noch unmittelbar Wedekinds persönliche Lage wider; der Held ist der bürgerliche Dichter Franz Welter. An den Aufführungen seiner Werke gescheitert, versucht er als Theaterdirektor durch eine glänzende Ausstattung dramatische Kleinkunst anziehend zu machen. Welter wird schon im ersten Akt zum äußersten getrieben und greift nach dem Revolver. Vor dem Selbstmord bewahrt ihn hier ausgerechnet sein Jugendfreund Grabau – der spätere Scholz –, dessen Funktion als Lebensretter, von dem fertigen Werk her betrachtet, nur *einen* der Widersprüche bildet, die dem Entwurf anhaften. Welter stellt, auf die Kunst beschränkt, noch nicht rein den ,,Don Quijote des Lebensgenusses" (IX, 429) dar,

dramatischen Verlauf[2], der sich gleichsam über den Köpfen der Figuren hinweg vollzieht. Der Dialog, den Wedekind, um die Pointen nicht einzeln wirken zu lassen, mit Verve gesprochen wünschte,[3] ist Oberfläche des Dramas, das wie eine Welle verläuft.

> *Erster Akt.* Keith und Scholz sind verzweifelt.
> *Zweiter Akt.* Keith und Scholz schöpfen neue Hoffnung.
> *Dritter Akt.* Glücksparoxysmus bei beiden. Bei jedem zeigt sich deutlich die wunde Stelle.
> *Vierter Akt.* Scholz will den Überlegenen spielen und seinen Meister schulmeistern. Da brechen beide zusammen.
> *Fünfter Akt.*
> 1. Das geschäftliche Unternehmen verabschiedet sich.
> 2. Das Luxusweib verabschiedet sich.
> 3. Der Lebensgefährte verabschiedet sich.
> 4. Die Lebensgefährtin verabschiedet sich. (IX, 429 f.)

Ihren Bemühungen zum Trotz sind Keith und Scholz von dieser Welle erfaßt: sie steigt an von Verzweiflung zu Hoffnung und Glücksüberschwang und überstürzt sich in Niederlage und abermaliger Verzweiflung. Richard Hamanns formale Bestimmung des Jugendstils als stilisierten Impressionismus trifft kein Werk Wedekinds besser als »Marquis von Keith«. Der in gleichsam pointilistischer Manier dargebotene Dialog täuscht über den Handlungsaufbau hinweg, der sich nur dem distanzierten Blick erschließt. Hinter der verwirrenden Vielfalt der Pointen, die den Eindruck eines Chaos erzeugen, zeichnet sich in der Parallelität der beiden Figuren Keith und Scholz die Kontur der

---

wie der spätere, sich auf allen Gebieten versuchende Marquis. Grabau ist noch nicht Moralist aus Prinzip, sondern zeigt pathologische Symptome, die auf Verfolgungswahn hindeuten, vgl. dazu Ein Genußmensch, Bl. 35 und 39. Mit der Fürstin Douglas, von Welter mit vielen positiven Attributen versehen, scheint Wedekind einen Auftritt als Deus ex machina geplant zu haben. Diese Figur, deren rettende Funktion ihr Vorbild in der Fürstin des »Liebestrank« fände, ist in dem fertigen Drama fortgelassen. Ihr Fehlen dokumentiert die Wandlung vom harmlosen Konversationsstück zum Drama des Abenteurers.
Die Lesung „Graban“ von F. Strich im Geleitwort zu »Ein Genußmensch« ist offensichtlich falsch. Die Schreibung dieses Namens in deutschen Buchstaben Bl. 30 und Bl. 59 bei der Nennung der Personen zu Beginn des Auftritts läßt deutlich einen U-Bogen erkennen. Er fehlt nur – wie es den lateinischen Buchstaben entspricht – bei der lateinischen Schreibung des Namens im Dialog, wodurch die Lesung Strichs entstanden sein mag. Richtig bei Kutscher, Bd. II, S. 57.

[2] „M. v. Keith hatte ich vollkommen auf Dialog gestellt.“ (IX, 430).

[3] „Das Stück hat in keiner Szene Konversationston. Alles muß hochdramatisch gespielt werden.“ (ebd).

Lebenswelle ab: dem entfesselten Dialog steht das Auf und Ab des „Lebens“ als Gesetz gegenüber. Die stilistische Vermittlung von äußerer Regellosigkeit und Handlungsaufbau stellt sich dadurch her, daß die Figuren an Prinzipien fixiert erscheinen. So sehr handeln die Personen als Agenten ihres Prinzips, daß sie es, zur Entwicklung nicht befähigt, noch am Schluß des Dramas unmodifiziert vertreten.

Wedekind hat das Entwicklungslose seiner Figuren, ihre allegorische Fixierung, des öfteren (VII, 305 u. 309; IX, 375f.) durch eine Verteidigung der Dramatik Schillers, die er der seinigen verwandt glaubte, zu rechtfertigen gesucht. In Notizbuch 58 findet sich eine bezeichnende Interpretation der »Braut von Messina«:

> Entrüstung über den miserablen Dichter Schiller. Gemeinplätze. Alle Personen sind so edel. Ich selber kenne das Stück nicht, habe es nie gesehen, nie gelesen. – „Haben Sie ein Glück!“
> Beim ersten Auftreten der beiden Brüder wird mir klar, daß die beiden Brüder mit Blutsverwandtschaft nichts zu tun haben. Es fehlt jedes Streitobjekt, jede geringste Andeutung eines Streitobjekts ist peinlich vermieden. Sie hassen sich von Kindheit an, weil sie verfeindet sind und sind von Kindheit an verfeindet, weil sie sich hassen. Dagegen wird die Begründung ihres Hasses nachdrücklich betont. Ihre Mutter wird von ihrem Großvater geliebt und wurde von ihrem Vater ins Ehebett ge-[S. 27r] zwungen. Darauf verfluchte der Großvater die Ehe seines Sohnes. Das Brüderpaar ist deshalb die Verkörperung irgend eines Schillerschen *Dualismus*. Mir fallen sofort die Zeilen ein
>
> zwischen Sinnenglück und Seelenfrieden
> Bleibt dem Menschen nur die bange Wahl
> Auf der Stirn des hohen Uraniden
> Leuchtet ihr verirrter Strahl.
>
> Dieser Dualismus kann aber nicht gemeint sein, da Glück und Frieden bei dem Brüderpaar ausgeschlossen sind.
> Daß der jüngere Bruder Cäsar heißt, scheint mir kein Zufall zu sein.
> Wie sagt Christus? – Gebt dem Kaiser was des Kaisers ist und Gott was Gottes ist.
> Wie heißt der ältere Bruder?
> Manuel. Immanuel heißt Gott mit uns. [S. 27v]
> Danach könnte der vorliegende Dualismus bestehen in Göttliche Macht und politische Herrschaft. Kirche und Staat. Papst und Kaiser.
> Dem entsprechend stellt sich das Verhalten des Chors, der Bürger von Messina, als ein stilisiertes, schematisches Abbild der Kämpfe der Guelfen und Ghibellinen in Italien dar.

Und wie heißt die Geliebte, um deren Besitz die feindlichen Brüder kämpfen?
Beatrice. – Beatrice heißt allerdings die Glückliche und nicht das Glück. Beatrice ist aber weder glücklich noch wird sie glücklich, dagegen trägt sie, wie später gezeigt werden soll, alle Charakteristika des Glückes nach den landläufigsten Anschauungen. [28r]
Nachdem nun zwischen den Verkörperungen Geistiger und Weltlicher Macht das Glück als erstes Streitobjekt, als Geliebte und zugleich als Schwester steht, könnte der Vater aller drei doch wohl der hohe Uranide sein, auf dessen Stirn nach Schillers Anschauung ihr verirrter Strahl leuchtet. Und wie heißt die Mutter der Geschwister?
Isabella, die spanisch-portugiesische Form von Elisabeth. Elisabeth heißt auf Hebräisch „Gottesverehrerin". Isabella sagt im ersten Akt: Nur die Natur ist redlich. Natur gesperrt gedruckt. Und wenige Zeilen später: Und jetzt, da ihn die heilige Natur Dir gab.
Daß Schiller der heiligen Natur den Vornamen Gottesverehrerin [S. 28v] giebt wäre aus seiner Weltanschauung erklärlich. Aber sollte ihm nicht vielleicht eine andere Etymologie vorgeschwebt haben, zumal es sich bei ihm ja nicht um Philologie sondern um Poesie handelt? Die höchste Verkörperung der heiligen Natur im Altertum ist Isis. Und wenn Isis sprachgeschichtlich auch nicht mit dem Adjektiv bella zusammengeht, so spielt die Braut von Messina eben doch im mittelalterlichen Italien in dem „Isis die Schöne" schwerlich anders als mit „Isis la bella" übersetzt werden könnte.
Ich muß hier gleich bemerken, daß ich weit von der Annahme [S. 29r] entfernt bin, daß Schiller die grundlegenden Geheimnisse seines Dramas dem Leser unwiederleglich klarlegen wollte. Als Dichter konnte er sich gar keinen höheren Triumph wünschen, als seine rein theoretischen Konstruktionen dank seiner gewaltigen Gestaltungskraft mehr als hundert Jahre lang von einem ganzen Volk als Menschen von Fleisch und Blut bewundert und bemitleidet zu sehen. Und ich würde es für ein schmachvolles Beginnen halten, seine Gestalten ihrer menschlichen Züge zu entkleiden, wenn dieses Verfahren seiner gewaltigen Dichtung auch nur den geringsten Eintrag thun könnte. Hört man aber als Ergebnis einer mit übermenschlicher Arbeit und vielen [S. 29v] unübertrefflichen Wirkungen bewerkstelligten Aufführung der Braut von Messina, den Dichter von literarisch Maßgebenden Autoritäten als einen unfähigen Fabrikanten von Gemeinplätzen und billigen Theaterwirkungen verunglimpft dann sucht man diesen Autoritäten doch gern klar zu legen, daß es sich in der Dichtung um wertvollere Flammen [?] handelt als wie von ihnen voraus gesetzt wird.

Wie bietet sich nun vor allem Beatrice dar, wenn man nicht die Verkörperung eines Begriffs sondern ein Menschenkind von echtem Fleisch und Blut in ihr erblicken will.
Der Fürst von Messina wird zu Grabe getragen.
Beatrice, ohne die gering- [S. 30r] ste Ahnung davon zu haben, daß dieser Fürst ihr Vater war,[4]

Wedekind bricht gerade dort ab, wo die Betrachtung der Handlung beginnen soll. Darin bekräftigt sich Artur Kutschers Urteil, daß diese Interpretation in das Drama nicht wirklich eindringe;[5] mehr noch dokumentiert dieses Abbrechen aber die Fremdheit der Wedekindschen Dramenkonzeption gegenüber der Eigenständigkeit der Personen Schillers und ihrer Selbstentfaltung im dramatischen Konflikt. Das Verstummen, trotz der leidenschaftlichen Parteinahme für Schillers Drama, verrät die innere Entwicklungslosigkeit der eigenen Dramatik. Wedekinds dramatische Personen stehen unter eben dem Banne der begrifflichen Konstellation, die er in Schillers Tragödie entdeckt zu haben glaubt. Sobald er seine willkürliche, allegorische Deutung der Personen als ,,Verkörperung eines Begriffs" beendet, um der dichterischen Wahrheit, den Menschen ,,von Fleisch und Blut" gerecht zu werden, scheitert er an der dramatischen Weite Schillers, die sich diesem begrifflichen Zwang widersetzt. Nicht zufällig erweist sich Wedekind als glänzender Kritiker des »Baumeister Solneß« (IX, 340ff.); dem pedantischen ,,Symbolismus" in Ibsens Spätwerk steht sein Konstruktivismus sehr viel näher als der Dramatik Schillers.
Wedekind ist es darum zu tun, hinter der äußeren Erscheinung, die sich in den Jahren nach 1900 als leidiges Familiendrama darbot, die ,,rein theoretischen Konstruktionen" sichtbar zu machen. Der Konflikt der Tragödie wird zu einem prinzipiellen, geistigen Dualismus erhoben, der seine Notwendigkeit aus dem Widerstreit der Begriffe bezieht und durch kein empirisches Streitobjekt motiviert ist. Dieser gedankliche Hintergrund soll in die ästhetische Beurteilung einbezogen werden, ehe ein Verdikt über dichterische Qualität gesprochen werden darf. Wedekind versucht so, den begrifflich-allegorischen Aufbau seiner eigenen Dramen in den Vordergrund zu rücken. Das führt schließlich so weit, daß er im Vorwort zu »Schloß Wetterstein« vom ,,Stoff-

---

[4] Notizbuch 58, Bl. 26v – Bl. 30r. Kutscher datiert August 1909, Bd. III, S. 24. Wedekind schreibt im Brief vom 5.I.1912 an Maximilian Harden: ,,Mit der Braut von Messina will es nicht vorwärts gehen". (Briefe, Bd. II, S. 263).
[5] Kutscher, Bd. III, S. 25.

lichen, den Geschehnissen, dem Gang der Handlung" sagt, sie seien „vollkommen Nebensache" (VI, 5).
Wedekind mag auf die ideelle Auslegung des Streites um Beatrice im Gedanken an die feindlichen Brüder Keith und Scholz (IV, 23f., 95), die um die Gräfin Werdenfels als ihres „Glückes Unterpfand" (IV, 9; vgl. 83) ringen, verfallen sein; galt es doch, die eigenen Helden ebenso wie die Schillers vor einem trivialen Verständnis zu retten (vgl. IX, 430). Der Widerstreit von weltlicher und geistlicher Macht, den Wedekind in den Namen Caesar und Immanuel zu entdecken glaubt, verwiese dann auf den »Marquis v. Keith« zurück, dessen Helden in einer frühen Fassung Welter und Grabau hießen. Welter-Keith kämpft mit der „Welt" als einer „Bestie" (IV, 49), er „hängt an der Welt wie eine Dirne an ihrem Zuhälter" (IV, 50). Der Name Grabau hingegen deutet auf jenes Elysium, in das der tote Moritz Stiefel lockte: das Gefilde der Seligen,[6] das nur durch die Überfahrt über den Hades erreicht werden kann. Auf dieser „himmlischen Laufbahn" (IV, 50) bietet sich Scholz als „lammfrommer Gesellschafter" (IV, 95) an, während Keith „Tag und Nacht wie ein ausgehungerter Wolf" (IV, 79) hinter seinem Glück herjagt. Der Dualismus „göttliche Macht und politische Herrschaft", den Wedekind Schiller zuschreibt, erinnert an die lebensschwache Verneinung und die lebensstarke Bejahung des „Lebens", aus denen die Handlungen Keiths und Scholz' hervorgehen. Dem Konversationsstück gemäß erscheint die lebensphilosophische Problematik hier in gesellschaftstheoretischem Gewand. Die beiden Jugendfreunde repräsentieren die Extreme der gescheiterten „Lebensreform": den sich an Darwin anschließenden intransigenten Individualismus, der sich auf die natürliche Auslese beruft, und den an Kant orientierten ethischen Sozialismus, der die Menschheit moralisch vervollkommnen will. Ernst Scholz – sein Name weist auf den Schulzen, den Dorfrichter, sein Vorname Ernst steigert den Eindruck des Kleinlichen; er ist Jurist und wird von Molly als „Gerichtsvollzieher" (IV, 19) angekündigt – dient, sich selbst aufopfernd und von anderen dieses Opfer fordernd, der Moral. Er möchte der Gesellschaft nützen, nur um eine Existenzberechtigung zu haben (IV, 75). Keith hingegen ist überzeugter Egoist und glaubt, der Allgemeinheit am meisten zu nützen, wenn er seinen Vorteil verfolgt (IV, 21). Seine Eigenliebe geht bis zur Selbstvergottung. Er gleicht Luzifer, der sein wollte wie Gott und sich absolut setzte. Wie Luzifer ist Keith „als abgeschlossene Persönlichkeit vom Himmel gefallen" (IV, 10) und als „Krüppel zur Welt gekommen." (VI, 18)

[6] Der spätere Name Trautenau hält an dieser symbolischen Bedeutung fest.

Keiths luziferisches Requisit, sein Feuerwerk, der Mörser, ,,der mit der ganzen Hölle geladen" (IV, 52) ist, verblendet jedoch nur ihn selbst und Scholz, der vom Mörser getroffen Keiths Wahn einer glücklichen Zukunft teilt, täuscht aber nicht die Gesellschaft (IV, 32, 88). Fern aller Dämonisierung fällt im »Marquis von Keith« der Teufel dem eigenen Blendwerk zum Opfer. Der ,,Glücksritter" (IV, 82) Keith, der gesellschaftliches Ansehen erstrebt, und Scholz, der Aristokrat, der um seine ,,Menschenrechte" (IV, 50) kämpft, sind Außenseiter in jenem gesellschaftlichen Bereich, dem sie ihren Willen aufzwingen wollen. Scholz mißrät seine mitleidige Hinneigung zur Unterschicht – das Dienstmädchen Simba lehnt ihn trotz seines Geldes ab –, während es Keith nicht gelingt, Konsul Casimir, dem Repräsentanten des herrschenden Bürgertums, gleichberechtigt zur Seite zu treten. Keiner von beiden erringt Anna, die ,,Verkäuferin aus der Perusastraße" (IV, 40) und verwitwete Gräfin Werdenfels, in der sich Scholz' Sehnsucht nach dem einfachen Menschen mit der Keiths nach einem grandseigneuralen Leben vereint.
Der Moralismus des Ernst Scholz ist von vornherein fragwürdig; durch seine gewissenhafte Änderung des Bahnreglements kamen Menschen ums Leben; er bekräftigt nur Nietzsches Verdikt über die Lebensfeindlichkeit der Moral. Wie Moritz Stiefel hat Scholz eine Affinität zum Tode; mit jedem Tag sieht er das Unglück näher kommen (IV, 22), das er schließlich verursacht[7]. Der Marquis von Keith behauptet dagegen zu Recht: ,,Bei mir ist noch jeder mit einem blauen Auge davon gekommen." (IV, 73) Er schädigt niemanden ernsthaft und hinterläßt bei seiner Flucht ein geschäftlich gesundes Unternehmen, in dem die Bürger ihr Kapital gut angelegt finden.

Die Lebenswelle und das Scheitern des Abenteurers

Obwohl gerade die Kontrapunktik der Figuren Keith und Scholz für den literarischen Jugendstil typisch ist – schon »Frühlings Erwachen« führte in Melchior Gabor und Moritz Stiefel den Streit zwischen Vitalismus und Lebens-

[7] Es finden sich auch wörtliche Anklänge, die an die Märtyrerfigur aus »Frühlings Erwachen« erinnern. Ist Moritz Stiefel in Ägypten gewesen und hat ,,die Pyramiden nicht gesehen" (II, 136), heißt es von Scholz: ,,Am Fuße der Pyramiden [...] soll Ihnen die Wäscherin einen Hemdkragen verwechselt haben?" (IV, 33). Strafte Ilse die Passivität des Moritz mit Verachtung: ,,Bis es an euch kommt, lieg' ich im Kehricht" (II, 141), so beurteilt Keith Scholz nicht weniger höhnisch: ,,Wem wie dir von Jugend auf jeder Schritt zu einem seelischen Konflikt auswächst, der beherrscht seine Zeit und regiert die Welt, wenn wir anderen längst von den Würmern gefressen sind!" (IV, 50).

flucht vor –, ist in diesem Drama der Marquis Hauptperson, mit der Wedekind eine neue Erfahrung gestaltet. Die Hoffnung, daß der Abenteurer – Keith, der „an der Welt wie eine Dirne an ihrem Zuhälter hängt" und sich mit der leichtlebigen Simba vergleicht,[8] ist die männliche Entsprechung der venus vulgivaga – über die Starrheit des Bürgertums zu siegen vermöchte, zerrinnt. Über die lebensphilosophische Bedeutung des Abenteuers, das in der Literatur der neunziger Jahre als Abkehr von der engen naturalistischen Zustandsschilderung einen großen Raum einnahm, heißt es bei Georg Simmel:

> Daß ein Isoliertes und Zufälliges eine Notwendigkeit und einen Sinn enthalten könne – das bestimmt den Begriff des Abenteuers in seinem Gegensatz zu allen Stücken des Lebens [...].[9]

Das Abenteuer stiftet als die einzige Form des Lebens die Einheit von Zufall und Sinn. Der Abenteurer läßt

> den außerhalb der einheitlichen, von einem Sinn gelenkten Lebensreihe stehenden Zufall dennoch irgendwie von diesem umfaßt sein. Er bringt ein zentrales Lebensgefühl auf, das sich durch die Exzentrizität des Abenteuers hindurch leitet, und gerade in der Weite des Abstandes zwischen seinem zufälligen, von außen gegebenen Inhalt und dem zusammenhaltenden, sinngebenden Zentrum der Existenz eine neue, bedeutungsvolle Notwendigkeit seines Lebens herstellt.[10]

Auch Keith besitzt dieses zentrale Lebensgefühl. Er vereinigt das mathematische Talent seines Vaters mit dem Zigeunertum der Mutter (IV, 10f.): für den Abenteurer soll das Irrationale kalkulierbar sein. Alles kommt ihm „wie gerufen", so wie er es gleich zu Beginn des Dramas von dem überraschenden Erscheinen des jungen Casimir behauptet. Selbst das Unglück glaubt er noch ausbeuten zu können (IV, 50). Wedekind entlarvt jedoch dieses Selbstvertrauen des Abenteurers als seine Verblendung, die darüber hinwegtäuscht, daß das, was er selbst zu bestimmen vermeint, ihm in Wahrheit aufgezwungen ist. Keith vermag den Glauben an seinen Erfolg nicht zu begründen. Der Gräfin Werdenfels, die, scheinbar beschränkt, das Geheimnis seines Aufstiegs nicht begreift, antwortet der Marquis: „Das kann ich dir im Voraus auch nicht er-

---

[8] „Ich, der Marquis von Keith, von dem ganz München spricht, stehe heute bei meinem europäischen Ruf noch ebenso außerhalb der Gesellschaft wie dieses Geschöpf." (IV, 30).

[9] Philosophische Kultur, S. 14.

[10] ebd, S. 15.

klären, ich lasse mich einfach willenlos treiben, bis ich an ein Gestade gelange, auf dem ich mich heimisch genug fühle, um mir zu sagen: Hier laßt uns Hütten bauen!" (IV, 10) Trotz der scheinbaren Rationalität seiner Unternehmungen, seinem Bestreben, „jeden Sterblichen seinen Talenten entsprechend zu verwerten" (IV, 44), ist das willenlose Treiben auf den Wellen Keiths Zuflucht. Sie sind das „Leben", dem er sich anvertraut. Die Untersuchung der Jugendstilmetaphorik von Elisabeth Klein hat erbracht, daß das Meer – auf dem auch Keith sich treiben läßt – eine Metapher des Lebens ist, der an diesem literaturgeschichtlichen Ort eine differenzierte Bedeutung zukommt.[11] Das Meer steht hier nicht für die geschichtslose Natur schlechthin oder für ein Element des Lebens im naturphilosophischen Sinne; in der dem Jugendstil eigenen Verschränkung von Ursprünglich-Naturhaftem und geschichtlicher Realität ist das Meer Metapher für das gewaltsame Kräftespiel der Gesellschaft. Die Transposition ins Naturbild spricht dem anarchischen, gefährlich erscheinenden gesellschaftlichen Bereich eine letztlich lebenstiftende Funktion zu: die Wellen des Meeres tragen zu dem rettenden Gestade, zumeist einer Insel. Individuelles Leben, welches das offene Meer versagt, entfaltet sich dort in arkadischer Abgeschlossenheit, wie es auch Wedekind im Hüttenbau andeutet.

Die Gewißheit, daß sich sein Erfolg unwillkürlich einstellt, macht Keith zum Abenteurer. Das Vertrauen auf den guten Ausgang gerade der steuerlosen Fahrt ist das Motiv für die Vielzahl seiner Unternehmungen, die sich rational nicht koordinieren lassen. Das Drama widerlegt jedoch die Hoffnung, auf der Strömung des Lebens zum sicheren Gestade des Besitzes (IV, 12) zu gelangen, und läßt Keiths Bemühungen um die Gunst des Fatums scheitern.

Der Verlust der Geliebten, in der Keith seines „Glückes lebendiges Unterpfand" (IV, 9) erblickt, wird schon in der ersten Szene Keith–Werdenfels angedeutet. Obgleich sich die Gräfin als „treuesten Spießgesellen" (IV, 10) anbietet und Keith, seinem Vertrauen gemäß, die gegenseitige Neigung durch die „Vorsehung" (IV, 12) verbürgt sieht, warnt ihn die Gräfin und deckt seine Unterlegenheit ihr gegenüber auf:

> Ich bin um die Schnürstiefel, in denen ich spazieren gehe, besorgter, als um deine Liebe zu mir [...]. Weil du der rücksichtsloseste Mensch bist und weil du nach nichts anderem in dieser Welt als nur nach deinem sinnlichen Vergnügen fragst! Deshalb würde ich auch, wenn du mich

---

[11] vgl. Klein, Jugendstil, S. 156–166.

verläßt, wirklich nichts anderes als Mitleid mit dir empfinden können. Aber sieh dich vor, daß du nicht vorher selber verlassen wirst! (IV, 12)

In der Negation des Bürgertums folgt der Abenteurer seinem „sinnlichen Vergnügen". Für das, was dem Bürger eine kontinuierliche Entwicklung an Glück und Ansehen erbringt, entschädigt ihn die flüchtige Unmittelbarkeit des Genusses. Keith sieht in dem „allerergiebigsten Lebensgenuß" sein „rechtmäßiges Erbe" (IV, 18), dem er anhängt, wie der Bürger dem ererbten Besitz. Die Warnung der Gräfin macht deutlich, daß Keiths Leidenschaft allein nicht die Treue der Geliebten zu verbürgen vermag. Sein Insistieren auf Glück ist für sie nicht wie für ihn bereits Garantie der Verwirklichung. Keith glaubt Leidenschaft dort zu finden, wo er selber leidenschaftlich ist. Annas Feststellung: „Ich bin aber nicht in dich vernarrt!" beantwortet er in selbstbewußter Verblendung: „Das sagt jede!" (IV, 61 f.) Keith bleibt mit seiner Leidenschaft allein. Als er mit Emphase ausruft: „Weißt du, Anna, daß keine Nacht vergeht, ohne daß ich dich im Traum mit einem Diadem vor mir sehe? Wenn es darauf ankommt, für dich einen Stern vom Firmament zu holen, ich schrecke nicht davor zurück, ich finde Mittel und Wege" entgegnet sie nur: „Verwerte mich als Dirne!" (IV, 46) Als er sich sein Vertrauen auf ihre Liebe wenigstens in der Negation zu erhalten sucht: „Ich soll dich wenigstens verfluchen dürfen, wenn du nicht mehr meine Geliebte bist," bekommt er die Antwort: „Du lernst deiner Lebtag keine Frau richtig beurteilen!" (IV, 91) Ihm bleibt nur noch der verzweifelte Rückzug auf seinen „Glauben" übrig. (ebd)
Weder im Glücksüberschwang noch in der Verzweiflung gelingt es ihm, ein Echo zu finden. Der Abenteurer Keith, der mit der Gräfin Werdenfels die Ehe einzugehen sucht (vgl. IV, 13, 62), bleibt ihr, in die er seine „Seelenglut hineingelebt" (IV, 90) hat, ebenso fremd wie der Moralist Scholz, der sie zu seiner Geliebten machen will. (IV, 80 f.) Die Naturhaftigkeit der Frau, ihr „Rassestolz", (IV, 90) dem einzig Leidenschaft gemäß ist, enthüllt sich als Illusion. Keith vermag lediglich die innerliche Molly Griesinger an sich zu fesseln, überzeugt sie als einzige von seinem Erfolg. Sie aber, die ohne ihn nicht leben kann und ihn zu verlieren fürchtet, geht in den Tod. Wo Keith wirklich Leidenschaft erweckt, verkennt er sie (IV, 89).
Auch der Plan, sich durch die Gründung des Feenpalastes in der bürgerlichen Gesellschaft durchzusetzen und „die Welt in die Hände" (IV, 13) zu bekommen, scheitert. Keith sucht durch Mimikry den Bürgern sein Abenteurertum zu verbergen. Er gibt sich den Anschein des erfahrenen Geschäftsmannes,

für den die Integration in die bestehende Ordnung die Voraussetzung des Geschäftes ist.[12] Den jungen anarchistischen Casimir mahnt er väterlich: „Der Vorsatz, die Welt kennen zu lernen, führt Sie dazu, hinter dem Zaun zu verenden. Prägen Sie sich vor allen Dingen die allergrößte Hochschätzung für die Verhältnisse ein, in denen Sie geboren sind!" (IV, 7f.) Seinem Streben nach „höheren Gütern" (IV, 8) und der Geringschätzung des Geldes begegnet Keith mit der hintergründigen Rechtfertigung des Besitzes: „Diese Güter heißen nur deshalb höhere, weil sie aus dem Besitz hervorwachsen und nur durch den Besitz ermöglicht werden." (ebd) Als geistigen Wert empfiehlt er mit apologetischer Versatilität das Christentum (ebd).[13] Religion und Besitz sind die verschiedenen Formen derselben Sache, der gegenüber nur die Alternative von Anpassung oder Untergang gilt.[14] Keith wird sogar zum Theologen und verteidigt gegen Ernst Scholz die gottgewollte Harmonie zwischen Reichtum und Glück. Für dessen kritische Fragestellung: „Ich habe mich schon allen Ernstes gefragt, ob nicht mein ungeheurer Reichtum vielleicht der Grund meines Unglücks ist", hat Keith nur die Verdammungsformel bereit: „Das ist Gotteslästerung!" (IV, 24f.) Weil Wedekind, anders als Maupassant in seinem Roman „Bel Ami"[15], selbst den anpassungsbereiten Abenteurer scheitern läßt und Keith nur die Freiheit einräumt, die Notwendigkeit der Anpassung zu reflektieren, wird die Aussichtslosigkeit des Abenteurertums desto zwingender erwiesen. Keiths Bemühung, sich anzupassen und den Interessen der Bürger gerecht zu werden, ersetzt nicht sein fehlendes Kapital. Auch der anpassungsbereite Abenteurer überlistet die Bürger nicht.

Unternimmt es Wedekind in »Totentanz«, die „Verhältnisse, unter denen ein Mephisto [...] sterben müßte" (IX, 433), darzustellen, so zeigt er am Mephisto Keith, wie er ins Stolpern gerät und zum „gefallenen Teufel"[16] wird: Keith ist betrogener Betrüger, weil die bürgerliche Gesellschaft „mephistophelischer" ist als er selbst. An ihm erweist sich der ökonomische Mechanismus als übermächtig, den er unermüdlich in der Hoffnung, sich seiner bedienen zu können, verteidigt. Den Besitz seiner „Idee" versucht er

---

[12] „Gute Geschäfte lassen sich nun einmal nur innerhalb der bestehenden Gesellschaftsordnung machen!" (IV, 30).

[13] Keiths doppeldeutige Belehrung des jungen Casimir ist der Schülerszene des »Faust« nachgebildet. In dem Fragment »Ein Genußmensch« studiert Welter diese Szene aus »Faust« ein und spielt den Mephisto.

[14] „Der Mensch wird abgerichtet oder er wird hingerichtet." (IV, 8).

[15] vgl. Kutscher, Bd. I, S. 263.

[16] In der Fassung von 1899 hieß das Stück »Der gefallene Teufel«, vgl. Kutscher, Bd. II, S. 58.

genauso zu kapitalisieren, wie der Bürger sein Kapital verzinst. Die Geldmittel der von ihm verachteten „Karyatiden" (IV, 30 u. 43) meint er für sich zu nutzen, wo in Wahrheit die Bürger sich seiner bedienen. Gerade seine Extravaganz, die er für Überlegenheit hält, bietet den Bürgern günstige Gelegenheit zur Investition. Molly sucht ihn zu warnen: „Diese Menschen schmeicheln dir, du seist weiß Gott welch ein Wunder an Pfiffigkeit und Diplomatie! [...] Und dabei legen sie dir gemächlich kaltblütig den Strick um den Hals!" (IV, 64) Sie weist damit auf die wirkliche Verteilung der Rollen hin. In dem Augenblick, wo Keith der Aufbau des Unternehmens geglückt ist, wird seine Spontaneität lästig, hat der Abenteurer seine Schuldigkeit getan, und die Bürger wollen die Geschäftsbücher sehen. Daß er lediglich sein Notizbuch vorweisen kann mit der Eintragung: „Eine Silberflut von hellvioletter Seide und Pailletten von den Schultern bis auf die Knöchel –" (IV, 86), bezeugt die Verlorenheit seines Schönheitskultes[17] in der bürgerlichen Realität.

Es entspricht nur dieser illusionslosen Gegenüberstellung von Schönheitsverlangen und feindlicher Realität, daß Wedekind auch zum Kult der venus vulgivaga neu Stellung bezieht. Die Unterredung von Scholz und Keith über Simba zeigt, wie weit Wedekind in dem Gesellschaftsstück »Der Marquis von Keith« seine frühere Gestaltung unbändigen Lebens – Ilse in »Frühlings Erwachen« und Lulu im »Erdgeist« – reflektiert und sich von der jugendstilhaften Verehrung des Lebens in der promiskuösen Frau distanziert. Scholz hält die bürgerliche Verachtung des „verlorenen Geschöpfs" für „den bitteren Neid des verfehlten Lebens" (IV, 29) und preist schwärmerisch den „Strom des Lebens" [...], wie er hier über seine Ufer tritt." (ebd.) Keith hingegen sieht in dieser Verachtung kein moralisch verwerfliches Vorurteil, sondern berechtigte Geringschätzung für eine Fehlinvestition: „Das Glück dieser Geschöpfe wäre so verachtet nicht, wenn es nicht das denkbar schlechteste Geschäft wäre. Sünde ist eine mythologische Bezeichnung für schlechte Geschäfte." (ebd) Die bürgerliche Moral, die Wedekind früher als lebensfeindlich bekämpfte, verachtet jetzt in der „Sünde" nicht mehr die Sinnlichkeit, sondern nur die schrankenlose Vergeudung, welche schließlich zur Selbstzerstörung führt. Der Gedanke, das Lustprinzip vermöchte die bürgerliche Ordnung zu beseitigen, der im »Erdgeist« Gestalt annahm, ist der Resignation

[17] Der Kontrast vom Glanz der Seide mit ihrem farbigen Grundton erinnert an das symbolische Weiß-Rosa Lulus. Schönheit stellt sich auch für den Marquis aus der Scheinhaftigkeit des silbrigen Glanzes und der Unmittelbarkeit her, die hier durch die hellviolette Farbe symbolisiert wird.

gewichen: „Gute Geschäfte lassen sich nun einmal nur in der bestehenden Gesellschaftsordnung machen.“ (IV, 30) Die Hoffnung auf den Erdgeist, dem es – in Abwandlung eines Wortes von Adorno – gelänge, Chaos in die Ordnung zu bringen,[18] ist geschwunden. Die Kokotte, die sich als Tauschwert anbietet, bringt es zum Erfolg, sogar zu bürgerlichem Ansehen. Anders als Lulu, deren „Leben die Liebe ist“ (III, 187), strebt Anna nach gesellschaftlichem Rang. Sie hat den Grafen Werdenfels geheiratet, um seinen „Namen zu tragen“ (IV, 40); den jungen Casimir beneidet sie „um die Equipage, in der ihn sein Alter nach Haus fährt.“ (ebd) Zur Leidenschaft scheint sie nicht befähigt; sie wartet auf die günstige Gelegenheit: „Ich tue so wenig wie irgend möglich und hatte meiner Lebtag Glück damit.“ (IV, 77f) Konsul Casimir ist ihr an Berechnung ebenbürtig. Er tut „keinen unüberlegten Schritt“ (IV, 69). Den Heiratsantrag macht er – nach dezentem Hinweis auf die Wandelbarkeit gesellschaftlicher Positionen –[19] nur für den Fall, daß Anna „im Stich gelassen“ wird (IV, 69). Er will eine Notlage ausnutzen und sucht sein Angebot durch den Hinweis verlockender zu machen, mehr als „Almosen“ (IV, 70) geben zu können. Der Heiratsantrag des angesehensten Bürgers von München an die dirnenhafte Gräfin, die Pflegemutter der Töchter Casimirs werden soll (IV, 69), erweist die Integration des Sexuellen. Die Gräfin besitzt die Achtung Casimirs, weil sie, anstatt mit der Leidenschaft das „denkbar schlechteste Geschäft“ zu machen, sich so teuer wie möglich verkauft. Annas „Rassestolz“ besteht nur in Keiths Phantasie.

Ein Vergleich der Szene Keith-Scholz im fünften Akt mit der Schlußszene von »Frühlings Erwachen« macht sichtbar, wie fragwürdig Wedekind das Vertrauen auf das „Leben“ geworden ist. Das gespensterhafte Auftreten von Scholz – die Erscheinung des Moritz Stiefel wird gleichsam wieder aufgenommen – beschreibt Thomas Mann, ohne die Analogie zu »Frühlings Erwachen« im Auge zu haben:

> Er [Keith] war allein. Auf einem Knie [...], keuchte er atemlos und linkisch: „Ah! Ah! Das ist der Tod!“ Dann stapft er auf seiner dicken

[18] vgl. Minima Moralia, S. 428.

[19] „Ich bin heute der angesehenste Mann Münchens, sehen Sie, und kann morgen hinter Schloß und Riegel sitzen.“ (IV, 70) Wenn Casimir aus Höflichkeit sich selbst als Beispiel anführt, um der Gräfin den nahen Sturz Keiths anzukündigen, so weist Wedekind damit auch auf die Gefährdung selbst des mächtigsten Bürgers. Auch Konsul Casimir ist dem fatalen Auf und Ab des Lebens unterworfen. Daß Wedekind wenigstens auf die Möglichkeit eines Sturzes hindeutet, weist auf kompositorische Geschlossenheit des Dramas, das auch die mächtigste Figur in die „Lebenswelle“ miteinbezieht.

Sohle zum Schreibtisch, ergreift die Briefe, will der Angebeteten nach ... und in der offenen Tür tritt ihm sein Gegenspieler Ernst Scholz, der gescheiterte Moralist, entgegen. Das ist Absicht; etwas Unheimliches kündigt sich an. Es wird nicht gemeldet, es klopft nicht an, es kommt auf keinem gesellschaftlichem Wege. Es „tritt ihm in der offenen Tür entgegen", still und gefaßt, wie aus dem Boden gewachsen.[20]

Wie Moritz Stiefel sucht Scholz Gesellschaft in der „Lebensnacht" (IV, 95), dort, wo man „geborgen" (ebd) ist. Es entspricht nur dem Realismus des »Marquis von Keith«, daß hier nicht das Nirwana von »Frühlings Erwachen« lockt, sondern die Irrenanstalt, ein Ort innerhalb der Gesellschaft. Weder Keith noch Scholz kann sterben (vgl. IV, 78 u. 95), es gibt für sie keine Flucht aus der Gesellschaft in den Tod. Anders als Melchior Gabor ist Keith den Verlockungen und Drohungen des Freundes schutzlos ausgeliefert. Ihm steht „kein Ausblick auf das Leben" mehr offen; vielmehr vollzieht sich in dieser Szene das „Mysterium der Abdankung", wie Thomas Mann gesagt hat.[21] Der verzweifelte Ruf nach dem Diener Sascha, womit Keith den sozialen Bezug gegenüber der Bedrohung seiner selbst wiederherzustellen sucht, verhallt ins Leere. Molly, die „Lebensgefährtin", wird tot ins Haus gebracht. In Konsul Casimir, der dem Helden in der Schlußszene zum ersten Mal gegenübertritt, erfährt die Erlösungsfigur des „vermummten Herrn" von »Frühlings Erwachen« den Verlust ihrer Aura. Hier reduziert sich diese Figur, der Problematik der Anpassung in diesem Drama entsprechend, auf die Personifikation des herrschenden Bürgertums. Zwar rettet der Konsul Keith vor der Lynchjustiz, denn eine Leiche wäre dem Renommée des jungen Unternehmens abträglich;[22] die einzige Chance aber, die von den Verlockungen des „vermummten Herrn" übrig blieb, ist: erneut die Rutschbahn des Lebens zu besteigen.

Die Niederlage des Außenseiters ist hier noch nicht so endgültig, daß der Held seinem Leben ein Ende setzt, wie später in »Hidalla«. Der Marquis sieht sich nicht gänzlicher Aussichtslosigkeit gegenüber, sondern ergreift die Gelegenheit, von vorn zu beginnen. Jedoch darf dieser Schluß nicht als Rettung des Abenteurers angesehen werden, in einer Weise, für die Paul Fechters Auffassung paradigmatisch ist:

---

[20] Eine Szene von Wedekind. Wiederabgedruckt in: Altes und Neues. S. 32.
[21] ebd, S. 95.
[22] vgl. Michel, Der Wolf und das Lamm, S. 6.

> Kaum hat der Marquis wieder Geld in der Hand, das einzige, um das im Grunde sein Ringen geht, da steigen seine Lebensgeister wieder, die Zerknirschung und Niedergeschlagenheit verweht [...]. Soeben war er noch ganz unten – aber der Aufstieg beginnt bereits wieder von neuem, das alte Spiel steht niemals stille.[23]

Wolfgang Hartwig erblickt darin sogar im Gegensatz zu Scholz' tragischem Ende einen komischen Ausgang: „Keith legt grinsend den Revolver zur Seite und wendet sein an sich tragisches Schicksal ins Komische, indem er die tragische Erkenntnis zynisch überspielt."[24] Wenn Keith auch mit dem Satz, „Das Leben ist eine Rutschbahn" (IV, 98), zu neuen Taten aufbricht, so ist doch die Zweideutigkeit dieser Maxime nicht zu übersehen. Keith kann wohl, wie es Fechter sieht, die Rutschbahn wieder von neuem besteigen, aber die Fahrt geht nur nach unten.[25] Vor diesem hoffnungslosen Weitermachen verlieren die Begriffe Komik und Tragik ihren Sinn: Scholz' Gang ins Irrenhaus zum Billardspielen könnte als „vernünftiger" Verzicht ebenso komisch ausgelegt werden, wie die durch die Teilhabe am Leben bedingte Blindheit des Abenteurers, der auch noch sein Zynismus mit zugehört, als notwendig und somit tragisch interpretiert werden könnte. Wedekind selbst wurde später der negative Aspekt dieses Ausgangs zum Problem. Im Notizbuch 53 findet sich auf einem sonst leeren Blatt die Eintragung: „Marquis von Keith *Schlußsatz:* Das Leben ist ein verdammt interessantes Experiment!"[26] Diese späte Va-

---

[23] Frank Wedekind, S. 77.

[24] F. Wedekind, Der Marquis von Keith, S. 97.

[25] George Grosz hat dem »Buch der Abenteurer« (Die Rutschbahn, Das Buch vom Abenteurer. Hg. von Ignaz Ježower) eine Zeichnung vorangestellt, die den Titel „Das Leben ist eine Rutschbahn ... Frank Wedekind, der Marquis von Keith" trägt. Auf ihr finden sich die Requisiten der Abenteurer, deren Leben später im Buche erzählt wird, zusammengestellt. Die Gegenstände, welche später als Vignetten wieder erscheinen, sind in haltlosem Sturz begriffen, ein Ende dieser Bewegung ist nicht angedeutet. Auf der Zeichnung von Grosz fehlt das Moment der Wiederholbarkeit, welche die Ambivalenz der Metapher in Wedekinds Drama ausmacht. Grosz' Illustration des Wedekindschen Satzes ist eindeutig der Sturz.

[26] Notizbuch 53, Bl. 59r. Dieses Notizbuch enthält vor allem Szenen aus den letzten Akten von »Oaha« aus dem Jahre 1908. In diesem Schlüsselstück tritt in der Rolle des Gadolfi noch einmal Willy Grétor auf (vgl. Kutscher, Bd. II, S. 258), „alle übrigen Personen an Wirkung überragend" (V, 145). In seiner von ihm selbst nicht publizierten Vorrede verwechselt Wedekind Gadolfi mit dem Marquis von Keith (IX, 442, vgl. Kutscher, ebd, S. 263). Es scheint, daß Wedekind bei der Überlegenheit Grétor-Gadolfis, dem „der schlechte Schüler Sterner-Langen" (Kutscher, ebd, S. 258) in keiner Weise gewachsen ist, nun der Schlußsatz „Das Leben ist eine Rutschbahn" nicht mehr genügte, zu negativ war. Die Vergegenwärtigung des biographischen Vorbilds scheint das zur Eliminierung gedrängt zu haben, was Grétor deutlich von Keith unterscheidet: sein Erfolg. Wedekind hat Grétor nicht nur in der Rolle Gadolfis

riante hebt nur die Wiederholbarkeit des Experiments hervor, das interessant ist, weil aus ihm etwas Neues entstehen könnte, das Moment der in Wahrheit ausschichtslosen Fahrt ist eliminiert.

als erfolgreichen Abenteurer gezeichnet; 1899, im Jahr der Entstehung des »Keith«, schreibt er anerkennend aus Paris über ihn: „Tatsache ist, daß er im ersten Hotel von Paris wohnte, in dem auch der Prince of Wales absteigt, und in London ein großes Haus führt." (An Beate Heine, 12.III.1899. Briefe, Bd. I, S. 337). Dagegen mutet eine Stelle bei Heinrich Heine, dessen Werk Wedekind gut kannte (vgl. Kutscher, Bd. I, S. 56), gerade in dem kritischen Moment, daß der Abenteurer trotz der Rationalität seiner Unternehmungen scheitert, wie eine Vorwegnahme des »Marquis von Keith« an. In den »Geständnissen« heißt es: „Zu den Personen, die ich bald nach meiner Ankunft in Paris sah, gehört auch Victor Bohain [...]. Er hatte damals die ‚Europe littéraire' gestiftet, und als Direktor derselben kam er zu mir mit dem Ansuchen, einige Artikel [...] zu schreiben [...]. Niemand wußte besser wie er ein Diner zu ordnen, wo man nicht bloß die beste Küche, sondern auch die köstlichste Unterhaltung genoß; niemand wußte wie er als Wirt die Honneurs zu machen, niemand so gut zu repräsentieren wie Victor Bohain – auch hat er gewiß mit Recht seinen Aktionären der ‚Europe littéraire' hunderttausend Franken Repräsentationskosten angerechnet [...]. Zu dem Humor des Mannes trug sogar sein hölzernes Bein etwas bei, und wenn er allerliebst um den Tisch herumhumpelnd seinen Gästen Champagner einschenkte, glich er dem Vulkan, als derselbe das Amt Hebes verrichtete in der jauchzenden Götterversammlung [...]. Zuletzt, vor etwa zehn Jahren, sah ich ihn in einem Wirtshaus zu Grandville; er war von England, wo er sich aufhielt, um die kolossale englische Nationalschuld zu studieren und bei dieser Gelegenheit seine kleinen Privatschulden zu vergessen, nach jenem Handelsstädtchen der Basse-Normandie auf einen Tag herüber gekommen, und hier fand ich ihn an einem Tischchen sitzend neben einer Bouteille Champagner und einem vierschrötigen Spießbürger mit kurzer Stirn und aufgesperrtem Maule, dem er das Projekt eines Geschäftes auseinandersetzte, woran, wie Bohain mit redsamen Zahlen bewies, eine Million zu gewinnen war. Bohains spekulativer Geist war immer sehr groß, und wenn er ein Geschäft erdachte, stand immer eine Million in Aussicht, nie weniger als eine Million [...]. Die neuere Geographie hat den berühmten Venezianer [Marco Polo], den man lange Zeit für einen Aufschneider hielt, wieder zu Ehren gebracht, auch von unserm Pariser Messer Millione dürfen wir behaupten, daß seine industriellen Projekte immer großartig richtig ersonnen waren und nur durch Zufälligkeiten in der Ausführung mißlangen; manche brachten große Gewinne, als sie in die Hände von Personen kamen, die nicht so gut die Honneurs eines Geschäftes zu machen, die nicht so prachtvoll zu repräsentieren wußten wie Victor Bohain. Auch die ‚Europe littéraire' war eine vortreffliche Konzeption, ihr Erfolg schien gesichert, und ich habe ihren Untergang nie begriffen. Noch am Vorabend des Tages, wo die Stockung begann, gab Victor Bohain den Redaktionssälen des Journals einen glänzenden Ball, wo er mit seinen dreihundert Aktionären tanzte, ganz so wie einst Leonidas mit seinen dreihundert Spartanern den Tag vor den Thermophylen [...]." (Heine, Geständnisse, Sämtliche Werke, hg. E. Elster, Bd. VI, S. 38f.) Victor Bohain ist wie Keith repräsentationsfreudiger Vorsitzender einer Aktiengesellschaft, die im Dienste der Musen steht. Daß Heine Bohain als Vulkan – er wurde von Zeus vom Olymp herab geschleudert – sieht, könnte Wedekind veranlaßt haben, Keiths Hinken mit der christlichen Interpretation Luzifers in Zusammenhang zu bringen. Der Entwurf einer »Leda für höhere Töchter« bezeugt, daß Wedekind die alte gelehrte Übung der Parallelisierung von antiker

Der doppeldeutige Vergleich des Lebens mit der Rutschbahn und die korrigierende späte Variante bezeugen die Problematik von naturhaft-spontanem Leben und Gesellschaft im Jugendstil. Ihm ist das Drama »Der Marquis von Keith« mit dieser letzten Unentschiedenheit noch zugehörig. Der wellenartige Verlauf des Dramas – Verzweiflung, Hoffnung, Glücksüberschwang, Zusammenbruch der Hoffnung, abermalige Verzweiflung – reproduziert nur das Auf und Ab des „Lebens", das auch die Katastrophe nicht aufzuhalten vermag. Wie Keith mit seinem Ausspruch „Das Leben ist eine Rutschbahn ..." nicht zur Erkenntnis gelangt, sich erneut dem Leben anvertraut, so wiederholt sich im Dramenverlauf trotz kritischer Einsicht in die Aussichtslosigkeit des Abenteurertums die endlose Wellenbewegung des „Lebens".

Lebensreform und der Kult des Körpers

Das Schauspiel »Der Marquis von Keith« widerlegt nur das individuelle Streben des Abenteurers nach „Lebensgenuß". Das Scheitern der allgemeinen Lebensreform gestaltet Wedekind in dem Drama vom Zwergriesen Hetmann. »Hidalla« (1904) ist, in dramatischer Form, das erste kritische Resummée der Werke – von den frühen Zirkusaufsätzen, dem »Liebestrank«, »Sonnenspektrum«, dem Dialog »Rabbi Esra«, der Erzählung »Die Liebe auf den ersten Blick« bis hin zur ersten Fassung von »Mine-Haha« (1901) –,[27] mit denen

---

Mythologie und Bibel nicht fremd war. Dem Gelächter der Götter über den ungeschickten Schenken entspräche dann der Hohn der Bürger über den „gefallenen Teufel" Keith. Bohains Bemühung um den „vierschrötigen Spießbürger mit kurzer Stirn und aufgesperrtem Maul" erinnert an die Verhandlung mit den Münchener Pfahlbürgern, der glänzende Ball am Vorabend der Katastrophe an das glänzende Fest in der Brienner Straße. Wie die Unternehmungen Keiths waren Bohains Projekte immer richtig und großartig ersonnen und scheiterten nur an Zufälligkeiten. Wie der Feenpalast unter der Regie Casimirs gedeiht, brachten Bohains Unternehmen große Gewinne, wenn sie in die Hände von Bürgern kamen, die nicht so gut zu repräsentieren wußten.

[27] Es bezeichnet Wedekinds Wandlung im Jahre 1903, dem Entstehungsjahr von »Hidalla«, daß »Mine-Haha« (zuerst erschienen in: Die Insel, 2. Jg.) 1903 mit der distanzierenden Einkleidung „Aus Helene Engels schriftlichem Nachlaß. Herausgegeben von F.W." erscheint (Kleine Bibliothek Langen, Bd. 55, München 1903). Um die Fiktion zu vervollständigen, hat Wedekind ein Vorwort mit einem Bericht über die Verfasserin vorangestellt. In dem neuen 4. Kapitel äußert Helene Engel Zweifel an dem Erziehungssystem des utopischen Staates. Bei ihrer Beschreibung des orgiastischen Volksfestes wagt sie, „ein Wort zugunsten der uns allen von Natur aus angeborenen zarteren Empfindungen einzulegen" (I, 378). Schon die zweite Fassung von »Mine-Haha« rückt von der positiven Darstellung eines archaistischen Naturstaates ab, die Wedekind mit der ersten Fassung von 1901 begonnen hatte. Vgl. dazu Kutscher, Bd. II, S. 132f.

Wedekind, das Ideal körperlicher Vollkommenheit verkündend, zur Lebenserneuerung beitragen wollte. Im Gegensatz zur Ästhetik der deutschen Klassik, die körperliche Schönheit als Ausdruck eines Geistigen auffaßt und in der Plastik ihre höchste Verwirklichung sieht, hebt Wedekinds Begriff das naturhafte, dynamische Moment hervor. Individualität und Seelenhaftigkeit gehen in der körperlichen Extroversion nicht verloren, sie soll das Wesen eines Menschen erst unverstellt ausdrücken.

> Zeige mir, wie du gehst und ich sage dir, wer du bist. Gleichgewicht und Elastizität sind die Hauptfaktoren einer starken Seele. Ihre Gesetze lassen sich aber nirgends besser ergründen als im körperlichen Gleichgewicht und in der Elastizität der Glieder.[28]

Nicht allein Wedekind lehnt das Idealschöne als Ausdruck falscher Innerlichkeit ab und wendet sich dem bewegten Extrovertiert-Schönen zu. In seiner Hochschätzung des Pariser Cirque d'hiver und der Folies-Bergère, die ihn zu Pantomimen und Tanzliedern anregen, teilt er die Vorliebe der Impressionisten für Zirkus und Tanz. Die amerikanischen Tänzerinnen Loie Fuller und Isadora Duncan zählen zu den gefeiertsten Künstlerinnen der Epoche.[29] Ihr Tanz vereint wieder Mimik und rhythmische Harmonie; er hebt die Trennung der niederen, weil mimetischen Pantomime und des höfisch-stilisierten Balletts wieder auf. Der verpönte unmittelbare Ausdruck wird bei diesen Tänzerinnen durch rhythmische Harmonie geläutert. So ist ihr Tanz natürlich und individuell, durch die Beachtung einer rhythmischen Ordnung drückt er zugleich den Weltwillen aus. Isadora Duncan doziert, sich auf Schopenhauer berufend, ihr Tanz sei „eine natürliche Gravitation des Weltalls im Individuum, der nicht mehr und nicht weniger als eine Übertragung der Gravitation des Weltalls in das menschliche Individuum" ist.[30] Der naturnahe individualistische „Ausdruckstanz" hat metaphysisch-kosmischen Bezug. Nietzsches Artistenmetaphorik – der Seiltänzer ist ein Vorläufer des „Übermenschen" – noch überbietend, sagt Alwa von Nietzsche: „Er ist das gött-

---

[28] zitiert nach: Kutscher, Bd. II, S. 122.

[29] Loie Fullers Schlangen- oder Serpentinentanz in langem, weitem Gewand, mit dem sie Wellenbewegungen ausführt, gehört zu den beliebtesten Motiven der Jugendstil-Graphik.

[30] „The dance should simply be then the natural-gravitation of this will of the individual, which in the end is no more nor less than a human translation of the gravitation of the universe. – It is noticed that I speak in the terms and views of Schopenhauer. His terms are more convenient for what I intend to express. –" (Der Tanz der Zukunft. Leipzig 1903, S. 13).

lichste Tanzgenie, das ich je gesehen."[31] Auch das Geistigste wird hier zum Tanz, als Metapher vereinigt er Lulus Tanzkunst mit der Philosophie Nietzsches.[32] Hugo von Hofmannsthal, der selbst Ballette und Pantomimen geschrieben hat, betont in seinem Aufsatz „Über die Pantomime" den individuellen Aspekt:

> [...] Die Sprache der Worte ist scheinbar individuell, in Wahrheit generisch, die des Körpers scheinbar allgemein, in Wahrheit höchst persönlich. Auch redet nicht der Körper zum Körper, sondern das menschliche Ganze zum Ganzen.[33]

Im Hinblick auf den Ausdruck, dessen der Körper fähig ist, kritisiert Hofmannsthal die nur durch Konvention hergestellte Allgemeinheit der „Sprache der Worte". Persönlich soll hingegen die Natursprache des Körpers sein, die das „menschliche Ganze" auszudrücken, Seelenhaftigkeit und Innerlichkeit unverfälscht durch Konvention sprechen zu lassen vermag. So sehr sich auch Wedekind, Hofmannsthal und die Duncan in ihren Äußerungen unterscheiden, so eignet ihren Gedanken über den Körper als Ausdrucksmittel doch ein Gemeinsames. Es ist die Auffassung, daß das Naturhafte am Menschen das Individuelle sei, Individualität einzig verbürge. Damit hat sich die Vorstellung der deutschen Klassik, daß die Natur des Menschen das Allgemeine, gerade das Nicht-Individuelle sei, im Denken des Jugendstils ins Gegenteil verkehrt. Der Rückgriff auf Natur ist dem Jugendstil unproblematisch und ohne Gefahr des Rückfalls in das vorhumane Chaos möglich, weil schon die menschliche *Natur* als individualisiert angesehen wird. Lebensreform bedeutet daher ein „Wachsenlassen" der vorgefundenen Individualität. Die Einheit von Geist und Seele wird in der Natur gesucht, so daß der Jugendstil im Kult des Körpers auch den reinsten Ausdruck der Innerlichkeit verehren kann. War in der Klassik der nackte Körper nur als Substrat der Individualität gerechtfertigt, so ist er jetzt ihr einziger Bürge.

Provokatorisch führte Wedekind mit Cölestin (»Liebestrank« 1891/92), mit dem Maler Schwarz und Molly Griesinger jene Liebe, die sich auf Seelisches richtet, als kraftlos und bürgerlich verlogen vor. Die positiv angelegten Figuren hingegen kannten keine Liebe, die über den Körper hinausginge. In »Hidalla« erscheint zum ersten Mal mit Fanny Kettler eine Figur, die

---

[31] zitiert nach: Kutscher, Bd. I, S. 306.
[32] vgl. Rasch, Tanz als Lebenssymbol im Drama um 1900.
[33] Gesammelte Werke, Prosa III, S. 50.

„Rasse“[34] verkörpert, zugleich aber innerlich liebt; sie wendet ihre Liebe, Äußeres nichtachtend, dem häßlichen Karl Hetmann zu. Sie liebt keusch; es widerstrebt ihr zutiefst, sich in den Dienst der Zuchtwahl zu stellen, obgleich sie emphatisch den Schwur tat, den Bestimmungen des Bundes rückhaltlos zu folgen. Ihrer hinreißenden Schönheit zuwider, die sie zu sinnlicher Leidenschaft bestimmen sollte, wandelt Fanny „wie die Verkörperung *eines* Gedankens einher, damit des Erdenwurms dumpfes Hinbrüten ja vor jedem Aufflammen bewahrt bleibe!“ (IV, 219) Fanny ist nur durch ihre Liebe zum häßlichen Hetmann dem „Verein zur Züchtung von Rassemenschen“ verbunden; als sie Hetmanns Idol (IV, 214), den Großmeister Morosini erblickt, „schaudert sie zusammen und bedeckt ihr Gesicht mit beiden Händen!“ (IV, 210) Sie steht die Identität von Körper und Seele so fern, daß ihr Hetmann, der Häßliche, als „größte Menschenseele, die seit langer Zeit gelebt hat“ (IV, 223), erscheint. Den höchsten Ausdruck findet ihre Liebe darin, daß sie, um Hetmann ganz nahe zu sein, ihre Schönheit verdammt: „So verfluche ich alles, was du Schönheit nennst, weil ich vor der Mißgestaltung besinnungslos auf den Knien liege!“ (IV, 258) Anstatt sich der promiskuösen Züchtung von Rassemenschen anheimzugeben, will sie nur für Hetmann leben (IV, 259).

Der schönen, aber Schönheit nichtachtenden Fanny Kettler korrespondiert im Drama Karl Hetmann, der Schöpfer einer neuen Moral der Schönheit. Macht die Innerlichkeit der schönen Frau Wedekinds Abkehr von der Identität des Innen und Außen sichtbar, so löst Hetmanns Häßlichkeit das Schönheitsverlangen von kreatürlicher Schönheit ab. Wedekind läßt gerade den Häßlichen Schönheit, Lebenserneuerung durch Eugenik[35] fordern. Es geschieht aus der neugewonnenen Erkenntnis, daß nicht die Natur selbst ihre Veredelung bezweckt, sondern daß der Wunsch nach der natürlichen Vervollkommnung des Menschen dem Geist entspringt. Den Glauben an den „Seelenadel der Schönheit“ (IV, 206)[36], der den Adel der schönen Seele als Lüge zu entlarven sucht, und die Überzeugung, daß die Menschen mit der Moral der Schönheit „der Gottheit um eine Stufe näher“ kommen (IV, 206), widerlegt Hetmann selbst durch das Mißverhältnis seiner Verkrüppelung und seines Schönheitsverlangens. Als nur geistiger Ersatz für seine mangelnden Naturgaben bleibt

[34] Im Schema des Dramas (Notizbuch 19, Bl. 35r.) heißt es: „Fanny-Rasse“.

[35] „Unter den Mitgliedern unseres Bundes steht der freien Fortentwicklung der Schönheit kein Hindernis mehr entgegen.“ (IV, 208).

[36] Stefan Georges „Vergottung des Leibes“ erscheint in diesem Zusammenhang typisch für die Lebensreform im Jugendstil.

Hetmanns Rassemensch Utopie, deren Verwirklichung die menschliche Natur verweigert. Was früher durch die Natur selbst verbürgt schien und nur vom gesellschaftlichen Zwang befreit werden mußte, um sich zu entfalten, wird jetzt als Ausgeburt der Phantasie erkannt. Am Schluß des Dramas ist Fanny für Hetmann rückschauend nur mehr das herrliche Weib, auf dessen Stolz er seine „uneinnehmbaren Luftschlösser baute" (IV, 257).

Aussichtsloser Kampf gegen Innerlichkeit

Die Ziele der Lebensreform – Rückführung der Gesellschaft zur Natur, Streben nach Schönheit und die Überwindung des abstrakten Denkens zugunsten einer an der Natur orientierten Vernunft – werden im Drama nicht einfach verworfen; sie verlieren jedoch durch den Zweifel an den Möglichkeiten, sie zu verwirklichen, ihre Unabdingbarkeit. Wedekinds rückhaltlose Anerkennung anthropologischer und gesellschaftlicher Sachverhalte bezeugt bereits eine Resignation, die den Übergang zum Alterswerk ankündigt.
So wird in »Hidalla« die Zusammenrückung von Mensch und Tier, einst das Motiv vom Primat der Natur, aufgegeben.[37] In die Ehe, für Wedekind früher ein Zeichen naturwidriger Versklavung im Gegensatz zur Spontaneität der Tiere, münden jetzt die Beziehungen gerade der Personen ein, die zu Beginn nur der Natur Wahrheit zuerkannten. Die umstürzlerische Frauenrechtlerin Berta Launhart, die den Standpunkt vertrat, die patriarchalische Gesellschaft

[37] vgl. die anthropomorphisierende Darstellung des Rapphengstes in »Zirkusgedanken«, oben S. 47. Helene Engel schreibt über den Anblick des Pferdes: „Ich hatte schon mehrere Pferde gesehen [...]; aber nie hatte mich eines jener Tiere im geringsten zu interessieren vermocht. Hier wurde mir ganz seltsam. Mein nächster Gedanke war Gertrud. Diese stolze Haltung hatte ich nur an Gertrud gesehen. Dieses sprühende Feuer in den Blicken, die Art, den Kopf zu schütteln, alles rief mir Gertrud vor Augen." (I, 348, siehe auch S. 349) Die Identität des Tieres mit der schönen Erzieherin geht bis zum gleichen Ausdruck der Augen. Das rassige Tier erreicht dieselbe Stufe der Individuation wie der vollkommene Mensch, so daß menschliche und tierische Natur gerade in der makellosen Ausprägung aufs Innigste verwandt sind. In der Elegie »Die Hunde« (um 1889–90) (vgl. Kutscher, Bd. I, S. 189) und »Bella, eine Hundegeschichte« (Plan bereits 1890, vgl. dazu Kutscher, Bd. I, S. 204 und Bd. II, S. 243) erfolgte die Zusammenrückung von Mensch und Tier in polemischer Absicht. Die Naturverhaftung des menschlichen Trieblebens wird betont im Gegensatz zur Konvention. Der Titel des Hetmannschen Aufsatzes »Über das Liebesleben in der bürgerlichen Gesellschaft im Vergleich zu demjenigen unserer Haustiere« (IV, 211) findet sich schon in einem Paris–Londoner Notizbuch: „Der Geschlechtstrieb in der bürgerlichen Gesellschaft im Vergleich mit demjenigen unserer Hausrassen. Inauguraldissertation zur Erlangung der philosophischen Doktorwürde an der Universität Zürich." (Zitiert nach: Kutscher, Bd. I, S. 198f.).

stelle die Frau noch unter das Haustier (IV, 201), findet ihr Glück in der Ehe. Hetmann selbst, dessen eugenisches Programm das Opfer privaten Glückes forderte, bittet Fanny schließlich, immer bei ihm zu bleiben (IV, 259). Nur der Auftritt Cotrellys verhindert den Ausgang des Dramas als Idylle, in der Hetmann lediglich seiner persönlichen „unantastbaren Freiheit" (IV, 261) lebt.

Mit der Versöhnung von Hetmann und Fanny Kettler wird auch die zweite Intention, die intransigente Gewinnung der Schönheit für die menschliche Kultur, preisgegeben. Hetmann handelt selbst gegen die Maxime:

> Wenn die Menschen dazu emporsteigen, die Schönheit höher zu achten als Hab und Gut, als Leib und Leben, dann sind die Menschen der Gottheit um eine Stufe näher, als wenn der Sieg über die Erdenqual ihr höchster Preis ist. (IV, 206)

Hetmann unterliegt nicht nur äußeren Hindernissen, die lediglich die Realisierbarkeit, nicht aber die Wahrheit seiner Gedanken in Frage stellen konnten. Wenn er alles, was ihn „an Erkenntnissen, an Kraft, Elastizität und Zuversicht erfüllte, im Stich läßt" (IV, 237), so geschieht es, weil Fannys Liebe ihn widerlegt hat. Fannys, „des schönsten Weibes" (IV, 258) Fluch auf die Schönheit nimmt ihm seinen Glauben. Ihre Innerlichkeit verweist ihn unwiderlegbar auf den Zwiespalt von Körper und Seele.

Hetmanns Kampf gegen Innerlichkeit im Namen der Natur – dies ist eine weitere Intention der Lebensreform – beabsichtigt nicht, das Seelische inhuman zu beseitigen. Innerlichkeit, soweit sie vom Körperlichen abgelöst wurde, war verdächtig, bürgerliche Moralanschauungen zu reproduzieren; sie erschien mit einem abstrakten Denken in Vorurteilen identisch; aus ihr sprachen „falsche Worte einer verkrüppelten Seele" (IV, 219). Als strengster Ausdruck dieser naturfeindlichen Innerlichkeit galt den Lebensreformern die Forderung nach Jungfräulichkeit und Keuschheit der Frau. Der patriarchalische Rigorismus eines solchen Ideals schien Wedekind dem Opfer barbarischer Zeiten verwandt.

> Die Forderung der Jungfräulichkeit ist ein konventionelles Opfer, als solches ein Menschenopfer wie der Feuertod der indischen Witwen. Es ist ein Entsagen, das Opfern eines hohen Gutes zugunsten einer Idee, lediglich einer Idee, und in dieser Hinsicht etwas rein Barbarisches [...]. Die Jungfräulichkeit speziell gilt als Symbol der Reinheit, der körperlichen und geistigen (Vestalinnen), wiewohl sie damit nicht das Geringste zu tun hat. Es liegt kein sachlicher Grund vor, weshalb eine Jungfrau

> seelisch oder körperlich reiner sein soll als ein anderes Mädchen. Die Vorstellung ist eben barbarisch [...]. Sie [die Alten] lebten unvergleichlich mehr der reinen Idee. Somit ist die Idee an sich auch etwas Barbarisches [...].[38]

Am extremsten denunziert »Der Wärwolf«, ein spätes Fragment, die Natur- und Lebensfeindlichkeit patriarchalischen Denkens.

> Der Held hat vor zwanzig Jahren eine Schnellfeuerkanone erfunden. Davon lebt er. [...] Alle drei Töchter sind kurzsichtige Opportunisten im Gegensatz zum Idealismus des Vaters, für den weder das Leben noch sonst irgend etwas in der Welt einen Zweck zu haben braucht. (Daher die Schnellfeuerkanone). (IX, 283f.)

Idealismus erfinde konzessionslos und projiziere starr auf die Natur, anstatt ihr sachlich gerecht zu werden, so lautet die Anklage der Lebensphilosophie. Die Schnellfeuerkanone erscheint als Sinnbild der barbarischen Aggressivität des patriarchalischen Idealismus. Hetmanns Lehre intendiert daher „das Unterliegen ideeller Symbole, die vor abertausend Jahren einem kindlichen Menschengeschlecht die Ergebnisse vernünftiger Erkenntnis ersetzen mußten." (IV, 221f.) Die körperliche Entfaltung der Menschen, ihre Reife, sollte sie vom abstrakten Denken befreien und eine neue naturnahe Ordnung der Gesellschaft ohne ideologischen Zwang herbeiführen.
In »Hidalla« distanziert sich Wedekind von diesen Intentionen der Lebensreform, für die Hetmann eintritt: als negativer Held wird der „Zwergriese" am Ende vom Teufel geholt (IV, 265). Er scheitert nicht am gesellschaftlichen Druck wie Lulu und Keith, sondern an seinem mephistophelischen Wesen, das die Menschen seiner Willkür unterwerfen will. Zirkusdirektor Cotrelly – er trägt Zylinder, schwarzen Gehrock, rote Handschuhe, sein Gesichtsausdruck hat etwas „Altfränkisch-Mephistophelisches" (IV, 262)[39] – bittet um ein „Selbstgespräch", ein Treffen des Teufels mit seiner Kreatur (ebd). Hetmann ist Geschöpf des Satans, das einen Pakt mit ihm eingeht (IV, 264), und „dummer August" (IV, 263) in einem. Wedekind kritisiert an der Gesellschaft nur, daß sie sich auch an einem so gefährlichen Narren noch bereichert und vergnügt. Hetmanns Untergang ist als Selbstmord Ausdruck inneren Scheiterns und weist auf die Individualproblematik in Wedekinds Spätwerk voraus. Mit der Problematisierung der Lebensreform hingegen, die Wedekind in dem

[38] zitiert nach: Kutscher, Bd. I, S. 203f.
[39] auch hier eine negative Akzentuierung des „vermumten Herrn".

Augenblick unternahm, als er die Inhumanität des Naturstaates[40] einsah und verwarf, gehört »Hidalla« zu Wedekinds großen Dramen.
»Marquis von Keith« und »Hidalla« zeigen im Gegensatz zur »Erdgeist-Tragödie« Versuche der Lebensbewältigung und Lebensveränderung *innerhalb* der gesellschaftlichen Realität. Gefährdete früher Lulus Dämonie die bürgerliche Ordnung, da sie nur äußerlich gegen den Naturtrieb gesichert erschien, so ist die Gesellschaft ihren Widersachern Keith und Hetmann weit überlegen. Das Beharren der beiden auf Lebensgenuß und Schönheit vermag die Ordnung nicht zu erschüttern, vielmehr wird sie durch deren Scheitern bestätigt. Mit dieser zweideutigen Anerkennung des Bestehenden, in der Realitätsgerechtigkeit und resignierende Affirmation untrennbar werden, schließt die Epoche des dichterischen Schaffens, in der Wedekind mit der Setzung des Utopischen auch die Kraft zur Negation bewährte.

[40] vgl. das Kapitel »Die große Liebe« bei Kutscher, Bd. II, S. 121 f.

IV

Lebensphilosophie und Dramentheorie am Ende des 19. Jahrhunderts

Die lebensphilosophischen Extreme in Wedekinds Dramen, die sich in den lebensbejahenden Figuren Melchior Gabor, Lulu, Keith und den lebensschwachen Märtyrergestalten Moritz Stiefel, Gräfin Geschwitz und Ernst Scholz als Komplemente erweisen, beruhen auf theoretischen Grundlagen, die weit ins 19. Jahrhundert zurückverfolgt werden können. Der Ursprung einer solchen dramatischen Gestaltung ist in einer neuen Form von Wirkungsästhetik zu suchen; sie löst die „Realästhetik" des deutschen Idealismus ab, welche als Philosophie der Kunst gegenüber der Wirkungsästhetik des 18. Jahrhunderts die Immanenz des Kunstwerks betonte. Im Zentrum dieser neuen Ästhetik steht die Theorie des Dramas. Das Drama soll als bewegtes Abbild des Lebens selbst, dem Leben entsprungen und dieses widerspiegelnd, den Lebenswillen der Betrachter beeinflussen: nach Schopenhauer soll es zur Resignation hinführen, nach Nietzsche zur Lebensbejahung. Tod und Leben gehen unter lebensphilosophischem Aspekt ineinander über, und die Grenze zwischen der Endgültigkeit der Tragödie und der Offenheit des Schauspiels wird verwischt.

Jacob Bernays' Wirkungsästhetik

Für die Entwicklung dieser wirkungsästhetischen Auffassung des Dramas ist Jacob Bernays' Schrift »Grundzüge der verlorenen Abhandlung des Aristoteles über Wirkung der Tragödie« (1857) als Zwischenglied anzusehen. Sie erinnert an die noch der klassischen Ästhetik verpflichtete „Erhebung des Geistes"[1] bei Schopenhauer und bereitet, zumindest geistesgeschichtlich,[2] die

[1] Die Welt als Wille und Vorstellung. Sämtliche Werke, Bd. III, S. 497.

[2] Nietzsche stimmt Bernays' revolutionärer Aristoteles-Interpretation uneingeschränkt zu. „Sollten Mitleid und Furcht wirklich, wie Aristoteles will, durch die Tragödie entladen werden [...]?" (Alte Zweifel über Wirkung der Kunst. Menschliches, Allzumenschliches. Musarion-Ausgabe, Bd. VIII, S. 181). „*Nicht* um von Schrecken und Mitleiden loszukommen, nicht um sich von einem gefährlichen Affekt durch vehemente Entladung zu reinigen – so mißverstand Aristoteles –: (...)." (Ecce homo. Musarion-Ausgabe, Bd. XXI, S. 226).

tragische Identifikation mit der „ewigen Lust des Werdens" bei Nietzsche vor, „die auch noch die *Lust am Vernichten* in sich schließt."[3] Durch die Systematik Schopenhauers und die innere Geschlossenheit von Nietzsches »Geburt der Tragödie« wird immer noch der Blick auf das Umfassende jener Wende in der Ästhetik des Dramas verstellt, an der auch ein Philologe wie Bernays Anteil hatte.[4] Bernays sucht die ursprüngliche Bedeutung der aristotelischen Katharsis zu erschließen und zugleich – anders als Schopenhauer und Nietzsche, die der aristotelischen Tragödiendefinition nur untergeordnete Bedeutung beimessen[5] – „ihren normirenden Gehalt in seiner vollen, für den Dichter wie für das Publicum leitenden Bedeutung [...] in Aristoteles' Gedanken"[6] selbst aufzuzeigen. Die Darstellung der Lehre des Aristoteles verschmilzt mit Bernays' eigener Auffassung von der Tragödie. Er sieht ihren Zweck in einer psychischen Erleichterung, die analog zur medizinischen Katharsis der Alten in der Ableitung von Affekten besteht. Den Schlußteil der aristotelischen Tragödiendefinition übersetzt er daher: „Die Tragödie bewirkt durch (Erregung von) Mitleid und Furcht die erleichternde Entladung solcher (mitleidigen und furchtsamen) Gemüthsaffectionen."[7] Die Tragödie bezwecke nichts anderes als die psychische Einwirkung auf die Zuschauer. An die Stelle von „philantropischen Empfindungen", die Lessing im 77. Stück der »Hamburgischen Dramaturie« behandelt, oder von Hegels Erscheinen der Idee tritt als neue ästhetische Norm nicht eine Befreiung von jedem beliebigen Affekt, nur die Affekte von Furcht und Mitleid sind

> die weitgeöffneten Thore [...], durch welche die Außenwelt auf die menschliche Persönlichkeit eindringt und der unvertilgbare, gegen die ebenmäßige Geschlossenheit anstürmende Zug des pathischen Gemüthselements sich hervorstürzt, um mit dem gleichempfindenden Menschen zu leiden und vor dem Wirbel der drohend fremden Dinge zu beben.[8]

---

[3] Götzendämmerung (1888). Musarion-Ausgabe, Bd. XVII, S. 159.

[4] In einem Zeitraum von zwanzig Jahren erschienen nicht weniger als siebzig Streitschriften zu Bernays' Aufsatz, vgl. Bernays, Zwei Abhandlungen über die Aristotelische Theorie des Dramas. Berlin 1880, S. I.

[5] Schopenhauer sagt: „Furcht und Mitleid, in deren Erregung Aristoteles den letzten Zweck des Trauerspiels setzt, gehören doch wahrhaftig nicht an sich selbst zu den angenehmen Empfindungen: sie können daher nicht Zweck, sondern nur Mittel seyn." (a.a.O., Bd. III, S. 497). Zu Nietzsche siehe Anmerkung 2.

[6] Zwei Abhandlungen, S. 63.

[7] ebd, S. 21.

[8] ebd, S. 72.

Bernays versteht Furcht und Mitleid als „universale Affecte"[9], die im ästhetischen Erleben aufeinander bezogen sind.

> Nur wenn die sachliche Furcht durch das persönliche Mitleid vermittelt ist, kann der rein kathartische Vorgang im Gemüth des Zuschauers so erfolgen, daß [...] es sich den furchtbar erhabenen Gesetzen des Alls und ihrer die Menschheit umfassenden unbegreiflichen Macht von Angesicht zu Angesicht gegenüberstelle und sich von derjenigen Furcht durchdringen lasse, welche als eksthatischer (sic!) Schauer vor dem All zugleich in höchster und ungetrübter Weise hedonisch ist.[10]

Die Tragödie ist damit nicht mehr auf die subjektive, moralische Wirkung beschränkt, die Schopenhauer noch mit der Wirkungsästhetik des 18. Jahrhunderts verbindet. Mit Emphase bekämpft Bernays Lessings Tragödientheorie als dem „moralischen Correctionshaus" zugehörig, „das für jede regelwidrige Wendung des Mitleids und der Furcht das zuträgliche Besserungsverfahren in Bereitschaft halten müsse."[11] Katharsis wird zur psychophysischen Entlastung. Die Tragödie hat aber auch nicht mehr die Anschauung von Ideen als dem Objektiven zum Ziel. Der hedonische, ekstatische Schauer vor dem All weist voraus auf das momentane Lustgefühl des Urwesens, zu dem man durch das Erlebnis der Tragödie wird,[12] – so Nietzsche, bei dem tragische Wirkung und Anschauung ineinander übergehen. Bernays verbindet die Erfahrung des Kosmischen, das Innewerden der furchtbar erhabenen Gesetze des Alls und ihrer unbegreiflichen Macht, zu der er die metaphysische Anschauung der Idee konkretisierte, mit der hedonischen Wirkung auf den Zuschauer. In der Einheit von psychischer Befreiung und Anschauung des Kosmischen ist die Beziehung der Wirkungsästhetik zu objektiven Momenten hergestellt, welche die lebensphilosophischen Auffassungen von der Tragödie kennzeichnet. Diese der Lebensphilosophie verwandte Konzeption ist in der wirkungsästhetischen Auffassung der Tragödie bei Schopenhauer vorbereitet.

Schopenhauer und Nietzsche

Im dritten Buch von »Die Welt als Wille und Vorstellung« weist Schopenhauer, im Anschluß an Plato, den Künsten die Darstellung von Ideen zu.

---

[9] ebd, S. 70.
[10] ebd, S. 74.
[11] ebd, S. 3.
[12] vgl. Die Geburt der Tragödie, a.a.O., Bd. III, S. 113.

> Sie [die Kunst] wiederholt die durch reine Kontemplation aufgefaßten ewigen Ideen, das Wesentliche und Bleibende aller Erscheinungen der Welt, und je nachdem der Stoff ist, in welchem sie wiederholt, ist sie bildende Kunst, Poesie oder Musik. Ihr einziger Ursprung ist die Erkenntnis der Ideen; ihr einziges Ziel Mittheilung dieser Erkenntnis. – [...]: nur das Wesentliche, die Idee, ist ihr Objekt.[13]

Alle Künste objektivieren den „Willen" in seinen verschiedenen Abstufungen, von der Baukunst auf der niedrigsten Stufe der Materialität bis zur höchsten, der Idee des Menschen in der Poesie.[14] Die ästhetische Rezeption begleiten die beiden Empfindungen des Schönen und des Erhabenen.

> Beim Schönen hat das reine Erkennen ohne Kampf die Oberhand gewonnen, indem die Schönheit des Objekts, d.h. dessen die Erkenntnis seiner Idee erleichternde Beschaffenheit, den Willen und die seinem Dienste frönende Erkenntniss der Relationen, ohne Widerstand und daher unmerklich aus dem Bewußtseyn entfernte und dasselbe als reines Subjekt des Erkennens übrig ließ, so daß selbst keine Erinnerung an den Willen nachbleibt; hingegen bei dem Erhabenen ist jener Zustand des reinen Erkennens allererst gewonnen durch ein bewußtes und gewaltsames Losreißen von den als ungünstig erkannten Beziehungen des selben Objekts zum Willen, durch ein freies, vom Bewußtseyn begleitetes Erheben über den Willen und die auf ihn sich beziehende Erkenntniss.[15]

Schließen Schönheit und Erhabenheit einander nicht aus und finden sich mancherlei Übergänge beider, so gewinnt doch nach Schopenhauer ein Kunstwerk um so mehr an Bedeutung, je reiner es das Gefühl des Erhabenen auslöst. Am reinsten verwirklicht sich dies im Trauerspiel.[16]

> Im Trauerspiel nämlich wird die schreckliche Seite des Lebens vorgeführt, der Jammer der Menschheit, die Herrschaft des Zufalls und des Irrthums, der Fall der Gerechten, der Triumph des Bösen: also die unserem Willen geradezu widerstrebende Beschaffenheit der Welt wird uns vor Augen gebracht. Bei diesem Anblick fühlen wir uns aufgefordert, unseren Willen vom Leben abzuwenden, es nicht mehr zu wollen und zu lieben. [...] Was allem Tragischen, in welcher Gestalt es auch

[13] Die Welt als Wille, a.a.O., Bd. II, S. 217.
[14] vgl. ebd, S. 288.
[15] a.a.O., Bd. III, S. 238.
[16] ebd, S. 495.

auftrete, den eigenthümlichen Schwung zur Erhebung giebt, ist das Aufgehn der Erkenntniss, daß die Welt, das Leben, kein wahres Genügen gewähren könne, mithin unserer Anhänglichkeit nicht werth sei: darin besteht der tragische Geist: er leitet demnach zur Resignation hin.[17]

Gerade das Trauerspiel läßt den ruhigen Bereich des Schönen hinter sich. Schopenhauer vindiziert dem Erhabenen im Trauerspiel als ,,Gefühl" und ,,Erkenntniß" zugleich Einfluß auf den Lebenswillen des Zuschauers. Indem das Trauerspiel den ,,Widerstreit des Willens mit sich selbst [...] auf der höchsten Stufe seiner Objektivität, [...] furchtbar hervortreten läßt",[18] wirkt im Drama der Wille, das Leben selbst, auf den Betrachter ein und erlöst ihn durch die ,,Erhebung" vom Dasein. Im Trauerspiel transzendiert das Leben zum Nichts. Dieser Vorgang geschieht auf zweierlei Weise: einmal führt die Abkehr von dem auf der Bühne Gezeigten zur Resignation, das andere Mal erreicht der Held selbst ,,diese resignierte Erhebung des Geistes"[19], die zur Nachahmung anhält. Schopenhauer ist sich durchaus dessen bewußt, daß die dramatische Gestaltung des blinden Willens weit häufiger zu finden ist als die der Resignation. In der späteren Dramatik aber, namentlich der der Jahrhundertwende, wurde seine Forderung nach unmittelbarer Darstellung der ,,Verneinung des Willens zum Leben" virulent. Die Verehrung des sich dem Lebensprozeß Entziehenden, die Verklärung der Unfruchtbarkeit und des Todes, der gegen das Leben gerichtete Ästhetizismus im Drama des Jugendstils haben hier ihren Ursprung.
Die Nähe zur Ästhetik des deutschen Idealismus ist bei Schopenhauer daran sichtbar, daß er nicht wie Bernays die Wirkung der Tragödie auf den psychischen Vorgang einschränkt. Die Tragödie leitet zwar zuerst ,,im dunklen Gefühl"[20] zur Resignation hin, regt dann aber ,,das Bewußtseyn"[21] zur Erkenntnis an. Hier ist es noch die ,,resignierte Erhebung des *Geistes*", die den ,,hohen Genuß" und die ,,angenehmen Empfindungen" beim Trauerspiel hervorruft.[22] Erst die Kunsttheorie Nietzsches, der in der griechischen Tragödie das ,,titanisch-barbarische Wesen des Dionysischen"[23] entdeckte, vollzieht die

[17] ebd, S. 495.
[18] a.a.O., Bd. II, S. 298.
[19] a.a.O., Bd. III, S. 497.
[20] ebd, S. 497.
[21] ebd, S. 497.
[22] ebd, S. 497, gesperrt vom Verf.
[23] Geburt der Tragödie, a.a.O., Bd. III, S. 39. Leider kann im Zusammenhang der Nietzsche-Rezeption der neunziger Jahre nicht berücksichtigt werden, ob diese Ästhetik Veränderungen unterlag.

Abkehr von der idealistischen Ästhetik. Da die Tragödie nach Nietzsche an der „metaphysischen Verklärungsabsicht der Kunst überhaupt"[24] teil hat, welche die Welt und das Dasein als ästhetische Phänomene rechtfertigt, stellt das Drama nur mehr ein künstlerisches Spiel dar, „welches der Wille, in der ewigen Fülle seiner Lust, mit sich selbst spielt."[25] Die Tragödie verliert das den Willen transzendierende erkenntnisstiftende Moment, welches dem Erhabenen bei Schopenhauer noch innewohnte. Statt dessen erzeugt sie eine „höhere Lust".[26]

> Wir sind wirklich in kurzen Augenblicken das Urwesen selbst und fühlen dessen unbändige Daseinsgier und Daseinslust; der Kampf, die Qual, die Vernichtung der Erscheinungen dünkt uns jetzt wie notwendig, bei dem Übermaß von unzähligen, sich ins Leben drängenden und stoßenden Daseinsformen, bei der überschwenglichen Fruchtbarkeit des Weltwillens [...]. Trotz Furcht und Mitleid sind wir die Glücklich-Lebendigen, nicht als Individuen, sondern als das *eine* Lebendige, mit dessen Zeugungslust wir verschmolzen sind.[27]

Dies Sich-Einsfühlen mit dem Lebensprinzip ist ebenso von „moralischer Besserung" und „intellectueller Aufklärung"[28] entfernt wie das „eksthatische Aufwallen" und „lustvolle Schaudern"[29] bei Jacob Bernays. Hatte schon dieser auf die Nähe der griechischen Tragödie zu „orgiastischen Ceremonien"[30] hingewiesen, um die unmittelbare Wirkung der Tragödie zu begründen, so weist Nietzsche der tragischen Wirkung einzig den Raum des Kultischen zu. Während Bernays die aristotelische Lehre von der Tragödie und somit auch seine eigene durch die Werke des Euripides begründet sieht,[31] wendet sich Nietzsche gegen Euripides und stellt dessen „sokratische Tragödie" wegen ihrer Entfernung vom Mythos ins Zentrum seiner Polemik. Die Wirkung der Tragödie beschränke sich nicht auf psychische Entlastung, sondern gewähre auch „metaphysischen Trost"[32], der sich im Mythos offenbart.
Das kultische Erlebnis der Tragödie weist auf ihren Entstehungszusammenhang mit der „Jugendlichkeit" eines Zeitalters hin, das Mythen hervorzu-

[24] ebd, S. 160.
[25] ebd, S. 161.
[26] ebd, S. 160.
[27] ebd, S. 113.
[28] Zwei Abhandlungen, S. 78.
[29] ebd, S. 78.
[30] ebd, S. 70.
[31] ebd, S. 60.
[32] Geburt der Tragödie, a.a.O., Bd. III, S. 164.

bringen und an Wunder zu glauben vermag.[33] Die Tragödie ist daher nicht unwiederbringlich verloren. Wohl erneuere sie sich nicht durch die Beachtung dramatischer Regeln, ihr Wiedererstehen aber sei in solchen geschichtlichen Augenblicken möglich, in denen eine den Griechen ähnliche Jugendlichkeit waltet. In der englischen Tragödie sieht Nietzsche das dionysische Kunstprinzip sogar in stärkerem Maße verwirklicht als bei den Griechen. In einer Notiz, die während seiner Arbeit an der »Geburt der Tragödie« entstand, heißt es:

> Die griechische Tragödie ist von maßvollster Phantasie: nicht aus Mangel an derselben [...], sondern aus einem bewußten Prinzip. Gegensatz dazu die englische Tragödie mit ihrem phantastischen Realismus, viel jugendlicher, sinnlich ungestümer, dionysischer, traumtrunkener.[34]

Die Hoffnung auf Verjüngung durch „eine heranwachsende Generation mit Unerschrockenheit des Blicks, mit heroischem Zug ins Ungeheure" gilt zugleich der Wiedergeburt der Tragödie.[35] In der so hergestellten Beziehung zwischen dem „Lebensgefühl" einer Epoche und ihrem Drama muß der eigentliche Kern von Nietzsches Kunstauffassung gesehen werden, einer Auffassung von der vitalisierenden Funktion der Kunst. An einer Stelle aus den Vorarbeiten zur »Selbstkritik« seiner Jugendschrift (1886) heißt es dazu: „Das Wesentliche an dieser Conception ist der Begriff der *Kunst* im Verhältnis zum *Leben:* sie wird – ebenso psychologisch als physiologisch – als das große *Stimulans* aufgefaßt, als Das, was ewig zum Leben, zum ewigen Leben *drängt*..."[36] Im Gegensatz zur individualisierten geistigen Erhebung in der Resignation bei Schopenhauer vertritt Nietzsche eine naturhafte Wirkung der Kunst, deren Drängen die machtvolle vorindividuelle Spontaneität des Lebenstriebes steigert. Daß die Spontaneität der Kunst in Zeiten der Dekadenz an die Stelle des Lebens selbst zu treten vermag, ist innerhalb dieser Ästhetik nur folgerichtig: eine vitalisierende Kunst vermag das Leben zu ersetzen.
Zu so weitreichenden Konsequenzen in Nietzsches Ästhetik, die hier in der Einbeziehung des Physiologischen noch Bernays' Auffassung der Katharsis hinter sich läßt, kommt es, weil das Kunstwerk auf sein Scheinen reduziert wird ohne Rücksicht auf das im Kunstwerk Erscheinende; dieses Scheinen wiederum ist nicht autonom, sondern dazu bestimmt, die „Lust am Dasein"

---

[33] ebd, S. 124.
[34] Vorarbeiten zu den Vorträgen „Das griechische Musikdrama" und „Sokrates und die Tragödie", a.a.O., Bd. III, S. 196.
[35] Geburt der Tragödie, a.a.O., Bd. III, S. 124.
[36] Vorstufen zum „Versuch einer Selbstkritik" (Frühjahr 1886), a.a.O., Bd. XIV, S. 327.

zu fördern. In dem Aufsatz »Die dionysische Weltanschaung« (1870) findet sich folgende Bestimmung des Schönen:

> Was aber ist Schönheit? – „Die Rose ist schön" heißt nur: die Rose hat einen guten Schein, sie hat etwas gefällig Leuchtendes. Über ihr Wesen soll damit nichts ausgesagt sein. Sie gefällt, sie erregt Lust, als Schein: das heißt der Wille ist durch ihr Scheinen befriedigt, die Lust am Dasein dadurch gefördert [...].[37]

Daß Nietzsche den Begriff der Schönheit an einer Rose, einem Gegenstand des Naturschönen demonstriert, ist für die lebensphilosophische Auffassung des Ästhetischen bezeichnend. War das Schöne in der klassischen deutschen Ästhetik als Ausdruck eines Geistigen wesentlich Kunstschönes, das sich über das nur Angenehme des Schönen in der Natur erhob, so tritt jetzt gerade am Naturschönen Schönheit am reinsten hervor. Die Schönheit der Rose wird von ihrem Wesen abgetrennt, das heißt: die alte Beziehung von Schönheit und Bedeutung im ästhetischen Objekt löst sich auf. Das Schöne kommt in der unmittelbaren Wirkung des Naturgegenstandes, eben weil ihm Bedeutung fern liegt, zu seinem Begriff. Ohne etwas über das Wesen des Gegenstandes auszusagen, gegen die „Hinterwelt" der Bedeutung gerichtet, besteht Schönheit allein im Erregen von Lust. Diese Kunst der *„Bejahung, Segnung, Vergöttlichung des Daseins"*[38] schließt auch noch den Naturalismus Zolas und der Brüder Goncourt mit ein. „Die Dinge sind häßlich, die sie zeigen: aber *daß* sie dieselben zeigen, ist aus *Lust an diesem Häßlichen* [...]."[39] Dieser vitalistischen Betrachtung gegenüber, in die Nietzsche ausdrücklich die Tragödie einbezieht,[40] vermag kein Kunstwerk seinen kritischen Gehalt zu bewahren. In der Tragödie dient der Untergang der Individuen nur noch dazu, das lustvoll dahinströmende Leben zu feiern. Es bereitet sich hier, weil die Individualität des Helden preisgegeben wird, eine Metaphysik des Lebens vor, der jede Form von Individualität als lebensfeindlich verdächtig ist.

Die formalen Elemente des Kunstwerks, die eine ästhetische Fixierung spontaner Lebensmanifestationen erst ermöglichen, werden in Nietzsches Auffassung vom Drama als Ausdruck des „Werdens" und der „Wirklichkeit"[41] von der Form-Inhalt-Relation losgelöst. „Das Artistische", Nietzsches zen-

---

[37] Die dionysische Weltanschauung (Sommer 1870). § 7, a.a.O., Bd. III, S. 226f.
[38] Der Wille zur Macht, a.a.O., Bd. XIX, S. 228f.
[39] ebd, S. 228f.
[40] ebd, S. 229.
[41] Gedanken zu „Die Tragödie und die Freigeister", a.a.O., Bd. III, S. 251.

traler ästhetischer Begriff seiner Spätzeit, ist als paradigmatisch für jene ästhetizistische Abstraktion anzusehen, welche die formale Bewältigung der Willenserscheinungen zur Wahrheit der Kunst erhebt. In einer Stelle aus den Vorarbeiten zur »Selbstkritik« (1886) heißt es:

> Diese Artisten-Metaphysik stellt sich der einseitigen Betrachtung Schopenhauers entgegen, welche die Kunst nicht vom Künstler aus, sondern vom Empfangenden aus allein zu würdigen versteht: weil sie Befreiung und Erlösung im Genuß des Nicht-Wirklichen mit sich bringt, im Gegensatz zur Wirklichkeit [...] – – Erlösung in der *Form* und ihrer Ewigkeit [...].[42]

Die tragische Wirkung auf die Zuschauer, die, weil sie dem artistischen Genuß der Form entgegengesetzt ist, als nur stofflich abgetan wird, ergänzt Nietzsche durch die Wirkung auf den Künstler selbst. Der Artist allein kann der dem Willen enthobenen ästhetischen Befreiung teilhaftig werden. Die geistige „Erhebung" durch die tragische Handlung bei Schopenhauer ist hier zur „Erlösung in der Form", zur artistischen Transzendenz entleert, in der sich nur noch der Künstler selbst zu befreien vermag. Das Artistische, die selbstgeschaffene Transzendenz der Form, welche die Verbindlichkeit eines Sinnes verloren hat, bildet nur scheinbar die Überhöhung des tragischen Willensprozesses. Als reine Negation ist die künstlerische Form so abstrakt, wie die tragische Lust am Dasein unvermittelt ist.

Wenn Schopenhauer und Nietzsche die Wirkung der Tragödie auch eindeutig interpretieren, so ist bei ihnen doch schon eine eigenwillige Ausdeutung von „Lebensverneinung" und „Lebensbejahung" zu finden, welche die Zweideutigkeit dieser lebensphilosophischen Alternative zu Tage treten läßt. Obgleich die einzelnen Dramenhandlungen als Manifestationen des Willens einer weiteren inhaltlichen Bestimmung nicht bedürften, suchen beide ihre Deutung an jener Tragödie zu bekräftigen, die ihrer Auffassung vom Tragischen Schwierigkeiten zu bereiten scheint, an »Ödipus von Kolonos«. Seiner Lehre von der Willensverneinung zufolge beginnt bei Schopenhauer die Tendenz einer metaphysischen Rechtfertigung des christlichen Trauerspiels sich abzuzeichnen, die später in Walter Benjamins Trauerspielbuch so bedeutenden Ausdruck erhalten sollte.[43] Die griechische Tragödie ist nach Schopenhauer dem christlichen Trauerspiel darin unterlegen, daß dort der „Geist der Resignation selten direkt hervortritt und ausgesprochen wird [...]. Das Christliche

[42] Vorstufen zum „Versuch einer Selbstkritik", a.a.O., Bd. XIV, S. 323.
[43] vgl. Ursprung des deutschen Trauerspiels. S. 115f.

Trauerspiel dagegen [zeigt] Aufgeben des ganzen Willens zum Leben, freudiges Verlassen der Welt, im Bewußtseyn ihrer Werthlosigkeit und Nichtigkeit."[44] Weil ihre Helden in der Diesseitigkeit verharren, sich nicht restlos und freiwillig vom Irdischen zu lösen vermögen, verfällt die griechische Tragödie dem Verdikt. So heißt es selbst von ihrer „Heiligenfigur": „Oedipus Koloneus stirbt zwar resigniert und willig; doch tröstet ihn die Rache an seinem Vaterland."[45] Auch jener passivste Held des antiken Dramas finde nicht zur Erkenntnis, die der Märtyrer im christlichen Trauerspiel erlangt. Nietzsche hingegen sucht das Drama des schicksalsergebenen Ödipus als „Siegeslied des *Heiligen*"[46] in seine Deutung einzubeziehen; erst der passive Ödipus erreiche „seine höchste Aktivität, die weit über sein Leben hinausgreift, während sein bewußtes Dichten und Trachten ihn nur zur Passivität geführt hat."[47] Noch der Heilige siegt hier und feiert den Willen zum Leben ebenso wie der Frevler Prometheus.[48] Daß Schopenhauer Ödipus als antiken „Helden" interpretiert, der bis zuletzt auf dem Willen beharrt, Nietzsche ihn aber als „Heiligen" sieht, der die „Glorie der Passivität"[49] trägt, markiert die Ambiguität der lebensphilosophischen Extreme schon an ihrem Ursprung. Von dieser Ambiguität aus kann später im Drama der Tod eines Kindes sowohl Anklage des Lebens als auch dessen Überhöhung bedeuten, kann die Anziehungskraft einer Frau, in der sich das Lebensprinzip verkörpert, durch Unfruchtbarkeit in die Nähe des Toten und Scheinhaften rücken.

Die Naturalismus-Diskussion

Lebensphilosophie als Metaphysik des Willens hat zum ersten Mal beim späten Richard Wagner, der sich zu Schopenhauer hinwandte, auf das Drama eingewirkt. Nicht so unmittelbar und von der Forschung wenig beachtet ist das spätere Nachwirken Schopenhauers im Drama des deutschen Naturalismus. Nicht nur die „naturalistische Mitleidsethik"[50] ist von Schopenhauer beeinflußt, seine Betrachtung der Welt unter der universalen Kategorie der Kausalität lebt fort im naturalistischen Drama. Seine pessimistische Naturphilosophie wurde im deutschen Naturalismus mit den naturwissenschaftlichen

[44] Die Welt als Wille, a.a.O., Bd. II, S. 496.
[45] ebd, S. 496.
[46] Geburt der Tragödie, a.a.O., Bd. III, S. 69.
[47] ebd, S. 66.
[48] ebd, Bd. III, S. 68.
[49] ebd, S. 67.
[50] Hamann/Hermand, Impressionismus. S. 39.

Erkenntnissen Darwins vereinigt. In Edgar Steigers Buch »Der Kampf um die neue Dichtung« (1889), einer Hauptschrift des Naturalismus, heißt es:

> Wer mit klarem Bewußtsein die Causalität der Dinge als das innerste Wesen des Welträtsels künstlerisch darstellen will, dem wird der Einzelmensch als solcher zunächst kein höheres Interesse abgewinnen. Die menschliche Gesellschaft und ihre Verhältnisse dagegen müssen in ihrer ganzen Breite vorgeführt, die geheimen Fäden, die sich vom Vater auf den Sohn und Enkel fortspinnen, überall aufgedeckt, und jede besondere Eigenart des Individuums muß als ein gesetzmäßiges Produkt bekannter Faktoren nachgewiesen werden.[51]

Nicht Sozialkritik spricht sich im naturalistischen Verzicht auf Individualität aus, sondern der Nachweis von Kausalität, die zum physisch-metaphysischen Prinzip, zum „innersten Wesen des Welträtsels" erhoben wird. Die monomanische Verwendung des Vererbungsmotivs im naturalistischen Drama eliminiert das Soziale und bindet die Personen ans Naturgesetz. Der Blick des Naturalisten gilt nicht so sehr der gesellschaftlichen „Breite", vielmehr haftet er an den „geheimen Fäden", die das Nacheinander der Generationen durchzieht. Ihr naturgeschichtliches Wesen beschränkt diese Figuren auf den engen Raum der Familie, in dem der menschliche Naturzusammenhang unverstellt hervortreten soll. Das naturalistische Drama ist deshalb wesentlich „Familiendrama". Die Familie gilt als abgedichteter, privater Bereich, in dem die Personen, jenseits von Moral und Idee zu physischen und psychischen Produkten der Vorfahren werden. Familie wird hier zum Schicksal.
Die Regression auf Naturgeschichte im naturalistischen Verfahren kennzeichnend fährt Steiger fort:

> Eine solche Analyse hat Ähnlichkeit mit der Thätigkeit eines Anatomen; der Wahrheitstrieb, der hier den Künstler beseelt, darf vor keiner Häßlichkeit und Verworfenheit, auf die er stößt, zurückschrecken. Und so wenig, wie der Chirurg bei einer lebensgefährlichen Operation, darf der realistische Sittenschilderer sich von Mitleid und menschlicher Anteilnahme hinreißen lassen. Die Gesellschaft ist das anatomische Präparat, das er seziert. Er will nicht strafen und nicht bessern, er will nur die Wahrheit sagen, ob sie nun lustig oder traurig, angenehm oder peinlich sei.[52]

---

[51] Der Kampf um die neue Dichtung. Leipzig 1889, S. 75.
[52] ebd, S. 75.

Das historische Phänomen Gesellschaft soll mit einem naturwissenschaftlichen Instrumentarium zerlegt werden, in einem Verfahren, das ästhetische und moralische Vorbehalte ausschließt und überprüfbar ist, weil die Wirklichkeit schon als Wahrheit gilt. Noch Wedekind entschuldigt im Entwurf seiner Vorrede für das Lulu-Drama (1894) das „Unerfreuliche" seines Stoffes damit, daß es „typisch" sei und „an der Hand der *Natur* controliert werden"[53] könne. Erregung von Mitleid ist die einzige ästhetische Rechtfertigung der naturalistischen Wahrheit. Das Mitleid vermag den inhumanen Kausalzusammenhang noch zu transzendieren und in der Solidarität alles Lebendigen Humanität aufrechtzuerhalten; jedoch zeugt die Hilflosigkeit des Mitleids, das sich nur als Affekt zu äußern vermag, von der Unzulänglichkeit des Menschlichen und bestätigt wiederum den Naturprozeß.
In der naturalistischen Rückführung des Sozialen auf Naturgesetzliches ist bereits die Voraussetzung für die Naturverherrlichung in der folgenden Periode zu erkennen. Schon Nietzsche sah im französischen Naturalismus eine Form der Lebensbejahung; zu Beginn der neunziger Jahre kleidet sich der Wunsch nach Lebenssteigerung in die Forderung nach „Überwindung des Naturalismus", die sich zwar gegen dessen Kausalitätsbegriff, nicht aber gegen dessen Naturbegriff richtet. Anders als bei Nietzsche, der auch im Naturalismus der Lust des Künstlers nachspürte und in dieser das Leben selbst am Werk sah, soll jetzt die Totalität des „Lebens", seine metaphysische Bedeutung, in der Erweiterung des naturalistischen Wirklichkeitsbereichs dargestellt werden. Diese Situation des Übergangs vom eben erst eingeführten Naturalismus zu einer „neuen" Kunst spiegelt sich in der Rundfrage von Curt Grottewitz über »Die Zukunft der deutschen Litteratur im Urteil unserer Dichter und Denker« (1892). Hermann Bahr charakterisiert das Gemeinsame aller Antworten auf diese Rundfrage und deutet dabei die verschiedenen stilistischen Richtungen an.

> In einem Punkte ist kein Zweifel: daß der Naturalismus schon wieder vorbei ist und daß die Mühe, die Qual der Jugend ein Neues, Fremdes, Unbekanntes sucht, das Keiner noch gefunden hat. Sie schwanken, ob es neuer Idealismus, eine Synthese von Idealismus und Realismus, ob es symbolisch oder sensitiv sein wird. Aber sie wissen, daß es nicht naturalistisch sein kann.[54]

---

[53] Notizbuch 1, Bl. 22v.
[54] Studien zur Kritik der Moderne. Frankfurt a. M. 1894, S. 18f.

Diese Äußerung Hermann Bahrs, die zu einem frühen Zeitpunkt die Stilrichtungen der Epoche zu bestimmen sucht, steht nicht allein. Übergang und Vermittlung der verschiedenen Stilelemente, welche heute durch die literaturwissenschaftliche Fixierung eines Werkes als naturalistisch, symbolistisch oder auch impressionistisch verdeckt zu werden drohen, standen damals im Zentrum der aktuellen Kritik. Läßt sich bei dem feuilletonistischen Charakter jener Kritik eine genaue Abgrenzung der Stilmerkmale und Unterscheidung von formalen und inhaltlichen Momenten auch nicht ausmachen, so wird doch die Stilfrage derart auf den Dramengehalt bezogen, daß sich ein Weg zur Theorie der Dramatik in den neunziger Jahren eröffnet.
Erkenntnisse von Lublinski und Lukács vorwegnehmend, schreibt Michael Georg Conrad über das Drama »Die Familie Selicke«, das vor Gerhart Hauptmanns erster naturalistischer Tragödie den dramatischen Naturalismus in Deutschland einleitete[55]:

> Ein ehrliches, tüchtiges Stück Arbeit, das die beiden Autoren gemeinsam vollbracht: [...] Typischeres und Virtuoseres hat der Impressionismus in der modernen Berliner Dekadenzliteratur nicht aufzuweisen. In der technischen Kleinmeisterei, nicht in der Dichtung großen Stils, wird dieses Buch allerdings das bedeuten, was der Titel ausspricht: Neue Gleise.[56]

Conrad, dessen literarisches Urteil man seit Beginn der neunziger Jahre nur als rückständig zu bezeichnen pflegt,[57] läßt sich durch das Stoffliche des Dramas immerhin nicht verleiten, die Holz-Schlafsche Arbeit dem Naturalismus zuzuordnen; vielmehr sieht er in der Virtuosität bei der Behandlung der Details schon bei den Vätern des konsequenten Naturalismus den Übergang zu einer impressionistischen Auflösung des Dramas. Die Intention, im Detail „Kunst wieder Natur werden" zu lassen, verselbständigt die Teile und macht eine dramatische Entwicklung unmöglich. Conrad urteilt wenig später scharf über die letzten Akte von »Meister Ölze«:

> Bis zur Schlußscene, die natürlich wieder ein end- und an sich zweckloses Sterben darstellt, reihen sich Vorgänge an Vorgänge, die man in jede beliebige Reihenfolge stellen könnte, so wenig haben sie mit sich und mit der Hauptidee des Dramas zu thun.[58]

[55] vgl. Dehmel, Erklärung. In: Die Gesellschaft, VIII (1892) S. 1473.
[56] Neue Gleise. In: Die Gesellschaft, VIII (1892). S. 382f.
[57] Dabei wird seine überaus positive Einschätzung der ersten naturalistischen Dramen Hauptmanns nicht berücksichtigt.
[58] Meister Oelze. In: Die Gesellschaft, VIII (1892). S. 1239.

Bereits in den frühen Werken dieser beiden Dichter vermögen „Idee", der formgebende Sinn des Ganzen, und die Fülle der Details, die zu einer zweiten Natur werden, sich nicht zu durchdringen. Von ihren naturalistischen „Dramen" zu den pantheistischen Naturdichtungen »Phantasus« und »Frühling«, deren Zugehörigkeit zum Jugenstil augenfällig ist,[59] führt der Weg über die Verselbständigung des Details, die der Kunst ein naturhaftes Sein wiedergewinnen soll.

Als Gegenstück zu Conrads Rezension, die vom Formalen ausgehend das Drama des konsequenten Naturalismus als „impressionistisch" kritisiert, sei die Besprechung von Hofmannsthals »Gestern« zitiert, die der achtzehnjährige Karl Kraus schrieb. Er betrachtet die Stilfrage vom Inhaltlichen her:

> Naturalistisch ist sie sicher, schon die Studie ist das Naturalistische, und jedes gute Werk muß naturalistisch, muß natürlich sein [...]. Hier ist ein allerdings lebensfähiger Zwitter: Naturalismus in klassischer Formvollendung: Eine psychologische Studie, die den Dichter vielleicht zufällig zu dramatischer Form, zu Vers und Reim führte. Eine Überwindung des Naturalismus aber kann ich in dem Werk nicht erkennen, so sehr sich auch manche Mühe geben, eine solche analytisch ad oculos zu demonstrieren [...]. Die Studie Morrens[60] muß lebenswahr sein, man sieht, es gibt manche Leute, die solche Andreas sind, die von Gestern nichts wissen wollen. Sie haben jeden Tag eine Laune, jeden Tag ein anderes „Neues", ein anderes fin de siècle, ihnen ist morgen Moder, was heute Mode. Neuidealisten, Symbolisten nennen sie sich, ihr Zentrum ist Frankreich, ihr Haupt Maurice Maeterlinck in Brüssel, und nach Deutschland weht ein Zipfel ihres Banners und an diesem hängt Hermann Bahr, der echteste Andrea der Litteratur.[61]

Karl Kraus nimmt Hofmannsthals Bezeichnung „Studie" beim Wort, wodurch diese Dichtung trotz ihrer Verse dem Naturalismus überraschend nahe rückt. »Gestern« ist nicht nur „lyrisches Drama", sondern zugleich kritische „Studie"; in der Tat wäre dieses Frühwerk Hofmannsthals ohne den Einfluß der Psychologie Paul Bourgets kaum denkbar. Die Schwierigkeit, dieses Werk mit der widersprüchlichen Form einer »Studie in einem Akt in Reimen« einem bestimmten Stil zuzuordnen, löst Karl Kraus durch Kriterien des Inhalts. Naturalistisch ist Hofmannsthals Dichtung für ihn, weil sie die impres-

---

[59] vgl. Hermand, Lyrik des Jugendstils, S. 69.

[60] Unter diesem Pseudonym erschien Hofmannsthals Erstling.

[61] K. Krauß (sic!), Gestern. Studie in einem Akt in Reimen von Theophil Morren (Loris). In: Die Gesellschaft, VIII (1892). S. 800.

sionistische Hingabe an die Spontaneität, das „Sich-tragen-Lassen" auf dem Fluß des Lebens, als Trug entlarvt. Das Sprunghafte eines Hermann Bahr verbürgt Hofmannsthals Kritik am Ästhetizismus die „Lebenswahrheit", deren sie als „naturalistische" Studie bedarf.

Die neuen Helden

Die beiden Rezensionen dokumentieren eine Weite der stilistischen Zuordnung, die auf die Formproblematik des Dramas bis etwa 1905 hinweist. Dem Naturalismus, der in den Werken von Holz und Schlaf seinen Höhepunkt erreichte, droht über der Konkretisierung des Lebenszusammenhangs die dramatische Idee verloren zu gehen. Die Personen manifestieren ihren „Willen" in Handlungen; diesen fehlt es jedoch, wie Conrad kritisierte, an der Koordination durch einen Sinn, so daß sie reversibel scheinen und das Drama unabgeschlossen machen. Hofmannsthal hingegen gelingt es in seinem frühen Werk, Sinn zu gestalten; aber dieser Sinn wird nicht in spezifisch dramatischer Weise durch die Handlungen der Figuren unmittelbar ausgedrückt, so daß „man eigentlich [wie Kraus sagt] von Handlung nicht sprechen kann".[62] In der lyrischen Sprache der Dichtung löst sich der Sinn von der dramatischen Aktion und „man kann sozusagen mit dem Finger zwischen das Wort und die Handlung fahren und das eine vom anderen losmachen."[63] Die stilistische Aporie ist auf die Schwierigkeit zurückzuführen, Willensakte zu dramatischer Folgerichtigkeit und Geschlossenheit zu bringen. Es ist das Problem, Sinn zu gestalten, ohne daß dieser durch Stilisation erreichbare Sinn die Grundlage des Dramas, die sich durch Personen vollziehende Handlung, gefährdet und die Figuren zu Marionetten werden läßt.
Selten bestimmen undurchsichtige, spontane Willensmanifestationen oder passiver Vollzug eines metaphysisch Notwendigen allein das Ganze eines Dramas; vielmehr findet sich beides häufig in einem Werk, sei es nebeneinander wie in »Frühlings Erwachen« sei es in einer Figur zusammengedrängt wie in »Meister Ölze«, wo der Sterbende sich im Kampf behauptet, aber erst der Tod seinem Sieg Dauer verleiht. Nietzsches Forderung eines „tragischen Pessimismus", der den Anbruch eines neuen Zeitalters herbeiführen soll, spiegelt sich in der intransigenten Selbstbehauptung der Figuren im Drama. Sie sollen nach Edgar Steiger lediglich den Kampf ums Dasein verdoppeln:

---

[62] ebd, S. 799.
[63] Kassner zitiert nach: Szondi, Theorie, S. 82.

Das lebendige Wort des sprechenden Menschen und seine künstlerische Stilisierung, der dramatische Dialog, ist [...] nichts anderes als die geistige Widerspiegelung des Kampfes ums Dasein. Und weil die Kunstform des Dramas aus dem täglichen Kampf ums Dasein heraus geboren wurde, so ist und bleibt sie der natürliche Ausdruck des eigentlichen Lebenskampfes. Zur Darstellung der stillen Beschaulichkeit des Einzellebens eignet sie sich nicht; [...]. Aber wo die Augen blitzen und die Wangen glühn, die Wünsche brennen und das Verlangen schreit, wo der Wille ins Leben hineingreifen und sich einen anderen Willen unterjochen will, wo die Gedanken aufeinanderplatzen, da schwirrt das Wort ganz von selber wie ein Pfeil hinüber und herüber, da wird das Leben unwillkürlich zum Dialog.[64]

---

[64] Steiger, Das Werden des neuen Dramas. Erster Teil, Henrik Ibsen und die dramatische Gesellschaftskritik. Berlin 1898, S. 94f. Schon das frühe Buch von 1889 enthielt folgende lebensphilosophische Deutung des tragischen Endes: „In demselben Augenblick, da der Held unter den Schlägen des Schicksals zusammenbricht, erheben wir unwillkürlich unser Auge, das bisher auf der Einzelerscheinung gehaftet, zu eben jenem Schicksal empor, dem diese Einzelerscheinung zum Opfer fiel. Und der Zauber der Notwendigkeit bestrickt uns inmitten aller sittlichen Entrüstung; wir fühlen mit einer gewissen Genugtuung, daß hier keine fremde Willkür waltete, sondern daß alles so kommen mußte, wie es kam. Und wie wir uns wieder zur stummen Anerkennung jener allgemeinen Kausalität der Dinge emporgeschwungen haben, da erweitert sich plötzlich unser geistiger Horizont. Wir fühlen, wie gut es ist, daß diese unpersönliche, aller menschlichen Beschränktheit entrückte, von Liebe und Haß ungetrübte, klare Notwendigkeit die gesamte Weltentwicklung beherrscht. Wir erkennen, daß nur im großen Mechanismus des Ganzen jene göttliche Ruhe in allen Bewegungen waltet, nach der sich der Teil des Universums vergebens sehnt. Da aber nur das Ganze sich Selbstzweck ist, so muß alles Einzelne diesem letzten Endzweck dienen. Das Leid und der Schmerz der Kreatur ist die notwendige Bedingung zur fortwährenden Selbsterzeugung dieses Ganzen, und die Vernichtung der Einzelexistenz ermöglicht allein die ewige Fortdauer des Alls.
Der Tod zeugt das Leben, das ist das Geheimnis der natürlichen und sittlichen Weltentwicklung. Und diese Grundwahrheit erklärt es allein, warum das Tragische den Höhepunkt jener Selbstbespiegelung des Weltalls bezeichnet, den wir als das innerste Wesen aller Kunst erkannten. Die höchste sittliche That des Menschen, die Ertödtung des Egoismus, findet im Tragischen ihre reinste künstlerische Nachgestaltung. Wir sind jetzt nicht mehr, wie in der Komödie, jene heiteren Olympier, die in seliger Ruhe (...) das Narrenspiel des Menschenlebens unter sich lächelnd betrachten. Wir sind der christliche Gott, der Fleisch wurde und als Mensch der Menschheit ganzen Jammer durchlebte. Wir sind wahrhaftig hinabgestiegen zur Hölle und hernach aufgefahren zum Himmel. Wir haben das Leid der Einzelexistenz durchgekostet und die stille Ruhe der Weltnotwendigkeit gefunden. Himmel und Erde, Geist und Leib, Bewußtsein und Außenwelt, Subjekt und Objekt lösen sich auf in dem tiefen Frieden des gesetzmäßig sich entfaltenden Universums, das da ist Alles in Allem." (Der Kampf um die neue Dichtung, S. 114f).

Durch diese Vitalisierung des Dramas, von der Steiger auch die Tragödie nicht ausnimmt, tritt an die Stelle der tragischen Dialektik eine ,,Tragik", die sich lediglich durch den Zusammenstoß willensstarker Individuen aus *Natur*notwendigkeit ergibt. Kurt Martens, der artistische Dichter, berichtet von einem Gespräch mit Wedekind, das in die Zeit von dessen Leipzigaufenthalt (1897/98) fallen dürfte:

> Über die Naturnotwendigkeit des Tragischen konnten wir uns niemals einigen. Wenn ich ihm zu beweisen suchte, daß Tragik heute nur mehr eine dichterische Fiktion sei, die ein energischer, kluger und gewandter Mensch aus dem Leben eskamotieren könne, es sei denn, daß er sich selbst zu wichtig nehme und nicht Herr über seine Nerven sei, rannte er zornig auf und ab und schwur darauf, daß jeder Kerl, der etwas auf sich halte, sich verächtlich von solcher ,,Weisheit" abwende, ein Tier mit starken Instinkten bleiben und als Tier stolz sein Schicksal auf sich nehmen werde.[65]

In sich konfliktlos soll der Dramenheld, mit dem Wedekind sich hier identifiziert, nur seinen Instinkten folgen und ihnen bis zum Untergang treu bleiben. Verständlich wird Wedekinds Äußerung – und seine kunstferne, voluntaristische Erörterung des Tragischen deutet dies auch an – aus dem Einverständnis mit Nietzsche, der die Kunst ,,als das große Stimulans" auffaßte, ,,als Das, was ewig zum Leben, zum ewigen Leben drängt".[66] Die Tierallegorie des Prologs zu ,,Erdgeist" aus dem Jahre 1898, in dem nicht allein Lulu als Schlange eingeführt wird, sondern alle Hauptpersonen durch Tiere charakterisiert werden, erhält in diesem dramentheoretischen Zusammenhang eine wörtliche Bedeutung. Anders als die dramatisierten ,,Haustiere" Ibsens und Hauptmanns sollen Wedekinds Tiere undomestiziert nach den Instinkten ihrer Art handeln. Der Kampf dieser Dramenhelden bedeutet Steigerung der Natur und Regeneration des von ihr abgefallenen Zeitalters.

Angesichts des inhumanen, als reißender Strom erscheinenden Lebens ist die andere Antwort auf die Frage, ob das Dasein dem Nichtsein vorzuziehen sei, die Bejahung des dekadenten Zeitalters. Mit der Darstellung von Seelenhaftem, Lebensfremdem, das erst im Tode zu sich selbst findet, verwirklicht sich Schopenhauers Forderung nach Abkehr vom Leben, nach Resignation. Die ,,Sympathie mit dem Tode" äußert sich in der Thematisierung des Sterbens. Wird der Tod, wie in »Hanneles Himmelfahrt«, zur Erlösung verklärt,

[65] Schonungslose Lebenschronik. Bd. I, S. 205 f.
[66] siehe Nachweis 36.

dann tritt bei einer solchen Ästhetisierung des Sterbens die Devotion gegenüber dem Todgeweihten in Erscheinung; aber auch die fatalistische Auffassung des Todes, die ihre reinste Ausprägung in den frühen Dramen Maeterlincks fand, deutet auf eine geheime Neigung zum Tode, denn nur das unerklärliche Verhängnis des Todes vermag die Personen wirklich zu erfassen, während alle anderen Lebensmomente unter dem Verdikt des Äußerlichen und Scheinhaften stehen. Der Tod durchdringt die „Äußerlichkeit" des Lebens. Bei Hofmannsthal führt die Todesstunde in »Der Tod des Tizian« und »Der Tor und der Tod« zur höchsten Steigerung und Erkenntnis des Lebens; in Maeterlincks Frühwerk weist der Tod nicht auf ein anderes, trotz seiner Sinnlosigkeit aber ist er als einzig Gewisses das Ziel des Lebens.

> Der Dichter, der die Seele des Menschen suchte, die fast in Vergessenheit geraten war, mußte viel länger suchen, und schließlich kam sie ihm nicht aus allen Menschen entgegen; aus einigen durchscheinenden Gestalten – Kindern, Jungfrauen und Blinden – brach zitternd ihr verlorenes Licht und ging wie Mondschein leise über die Dinge, die den Dichter umgaben. Die tätigen Menschen, die dramatischer scheinen und voll von Handlung und Entschluß, blieben dunkel; sie lebten das Leben des Verstandes und das Leben der Leidenschaften, das der Dichter nicht suchte – und ihm blieb nichts anderes übrig, als sich an jene anderen zu halten, weil durch ihre dünnen Körper der Glanz der Seele fiel, nach dem er sich sehnte. Und weil diese Seelen der Ohnmächtigen und Schwachen die ersten Seelen waren, die er sah, versuchte er ihre Geschichte zu schreiben. Sie handelten nicht, und weil sie sich nicht rührten und warteten und weinten, so war alles, was sie umgab, mit jener Kraft und Bewegung erfüllt, die sie nicht besaßen. Das Unbekannte war der eigentliche Handelnde, die Hauptperson in diesen Dramen, und wenn es manches Mal geradezu „der Tod" heißt, wird es dadurch nicht weniger bedrückend und rätselhaft. Man könnte alle diese Dramen unter dem Namen „Todesdramen" zusammenfassen, denn sie enthalten nichts als Sterbestunden und sind das Bekenntnis eines Dichters, der im Tode das einzig Gewisse sieht, die einzige tägliche trostlose Sicherheit unseres Lebens.[67]

Gegenüber dem unruhigen „Leben der Leidenschaften" gewährt der Tod, wenn er auch als „bedrückend und rätselhaft" erfahren wird, Sicherheit. Maeterlincks „Kinder, Jungfrauen und Blinde" sind die Weisen, die sich in

---

[67] Rilke, Maurice Maeterlinck. Sämtliche Werke, Bd. V, S. 535f.

ihrer Seelenhaftigkeit nicht über die Realität des Todes hinwegtäuschen. Ihre Passivität ist vorbildlich, da es keinen Ausweg aus der Fatalität gibt.
Nicht immer erhält jedoch der Tod ein solches Gewicht wie in den genannten Dramen Hofmannsthals und beim frühen Maeterlinck, denn dekadenter Fatalismus kann sich auch eng mit der Verherrlichung der Instinkte verbinden. »Frühlings Erwachen« und »Erdgeist« sind dafür Beispiele. Wedekind ist in der »Kindertragödie«, obwohl er die beiden Möglichkeiten in den Gegenfiguren Moritz Stiefel und Melchior Gabor scharf von einander absetzt, nur eine problematische Lösung gelungen. Lediglich der „vermummte Herr", ein Deus ex machina, rettet Melchior vom Tode und hält im Drama den Ausblick auf das Leben offen. In »Erdgeist« sind Instinktverherrlichung und Fatalität eng verbunden: die geopferten Männer sind Blutzeugen der irrationalen Herrschaft „starker Instinkte". Diese Widersprüche in den beiden frühen Dramen Wedekinds sind auch der zeitgenössischen Kritik nicht entgangen. Auch für sie stellt sich in diesen Werken die Problematik des modernen Dramas paradigmatisch dar.
Richard Dehmel kritisiert in seinem Aufsatz »Die neue deutsche Alltagstragödie« (entstanden April 1890) vornehmlich am Beispiel »Vor Sonnenaufgang« das naturalistische Drama und hält die Konzeption eines „Dramas der Zukunft"[68] dagegen. Dieser Aufsatz ist um so interessanter, als Dehmel kurz nach der Publikation seiner Kritik Wedekinds »Frühlings Erwachen« kennenlernte und in diesem Drama verwirklicht sah, was er vorher „bloß aus dem deduktiven Handgelenk heraus"[69] entwickelt hatte. Unter dem Blickpunkt einer Dramentheorie, die den Naturalismus hinter sich lassen will, rücken bezeichnenderweise zwei Momente des Hauptmannschen Dramas ins Zentrum der Kritik: das Versagen Alfred Loths und Helenes Selbstmord. „Das Wesen Loths klafft in zwei Hälften auseinander, [...]: halb das Wesen jenes selbständigen Kraftmenschen, halb das jenes redlichen Durchschnittsschwächlings, ohne daß eine organische Vereinigung beider Anlagen erzielt ist."[70] Über den Tod des Mädchens sagt Dehmel: „Ihr Selbstmord ist nicht sittliche, sondern ganz formale Selbstvernichtung. [...] Wir empfinden ihren Untergang als überflüssige, beinahe unverständliche Roheit."[71] Loths Verzicht scheint für Dehmel nicht mit der Anlage dieser Figur,

[68] Erklärung, S. 1474.
[69] ebd, S. 1474.
[70] Die neue deutsche Alltagstragödie. In: Die Gesellschaft, Jahrgang VIII (1892), S. 486.
[71] ebd, S. 494.

ihrer „bärenhaften Kraft“[72] im Einklang zu stehen, sondern folgerichtig hätte dieser Held starrsinnig versuchen müssen, „Zukunftsidee“ und Leidenschaft zu verschmelzen.[73] An dem Schluß des Dramas kritisiert Dehmel, daß der Tod Helenes nicht „als Selbsterlösung wirkt“, weil kein Kampf vorausging, „der so unendliches Leid glaubhaft machen könnte.“[74] Er sucht diesen Mängeln, dem schlecht motivierten Verzicht des Helden und dem unglaubwürdigen Selbstmord, die er als typische Erscheinungen des Naturalismus versteht, durch eine neue Theorie der Tragödie zu begegnen.
Von dem positiv angelegten Helden Hauptmanns ausgehend, fordert Dehmel vom Tragödienhelden den Kampf für eine „sittliche Entwicklungsidee“[75], in dem dieser durch seine Unzulänglichkeit zugrunde geht. Die Forderung einer „sittlichen Entwicklungsidee“ für die Tragödie scheint den Bereich der lebensphilosophischen Dramatik zu verlassen. Diese Idee als „Glauben an die treibende Kraft im Entwicklungskampfe der Menschheit“[76] aber löst sich nicht von der Vorstellung eines umfassenden Lebensprozesses; vielmehr weist ihre Bezeichnung als „Kraft“ auf „die moderne monistische Weltauslegung“[77] hin, die Dehmel voraussetzt, auf einen Vitalismus, in den auch die Ideen als Kräfte einbezogen, in dem Natur und Metaphysik untrennbar sind. Im Kampf des Helden und in der Wirkung dieses Kampfes auf den Zuschauer sollen sich daher Lebenssteigerung und sittliche Förderung miteinander verbinden.

> Nicht blos die selbstlose, der Gattungsförderung nachhängende Vernunft, sondern auch die *sinnliche Selbstsucht* des natürlichen Menschen will durch die Kunst befriedigt werden. Er will nicht blos sittlich überzeugt, er will auch im Gefühl ergriffen sein durch den Untergang solcher Idealgestalten; er will nicht blos Erkenntnis ernten, er will auch eine Lustwirkung empfinden. Angebahnt wird diese Wirkung allerdings schon durch den Kampf an und für sich. Da wird gerungen um das Höchste, wofür wir selbst im Leben ringen. Unsere Gleichgiltigkeit ist überwunden: der Dichter ringt als Schöpfer seiner ringenden Gestalten mittelbar *für uns*. Unserm stärksten sinnlichen Drange, dem Selbsterhaltungstriebe, ist geschmeichelt; wir nehmen teil an dem Schicksal des Kämpfers, wir übertragen unsere eigene Liebe zum Leben auf ihn, wir bangen mit ihm, wir sind gespannt auf den Erfolg. Der Kämpfende

---

[72] ebd, S. 489.
[73] vgl. ebd, S. 489f.
[74] ebd, S. 494.
[75] ebd, S. 491.
[76] ebd, S. 491.
[77] ebd, S. 487.

> unterliegt. Wir sehen ein, daß sein Untergang sittlich notwendig war; aber unser Selbsterhaltungstrieb würde sich beleidigt fühlen, wenn der Untergang nicht auch *sinnlich als wünschenswert* empfunden würde. Wir sind befriedigt nur dann, wenn der Kampf ein so unendliches Leid in der Seele des Kämpfenden erzeugt hat, daß die Vernichtung seines Lebens uns mit der erkannten Notwendigkeit versöhnt als Erlösung vom Schmerz des Lebens. Jedoch wir übertragen die Regungen unseres Selbsterhaltungstriebes nicht *ganz* auf den Kämpfenden: neben der sinnlichen Ergriffenheit unsres Gemüts durch sein leidvolles Geschick bleiben wir uns doch zugleich unsrer Eigenpersönlichkeit bewußt. Unser Selbsterhaltungstrieb fühlt sich zugleich gereizt durch die Unzulänglichkeit des Kämpfenden selbst; wir empfinden sie als Vergehen gegen unsre höchsten Lebensinteressen und gewissermaßen als Undankbarkeit gegenüber der Teilnahme, die wir ihm schenkten. Wir wollen gerächt sein. Der Untergang des Ringenden [...] erscheint uns auch sinnlich wünschenswert noch deshalb, damit diese unsre selbstsüchtige Rachgier befriedigt wird. Wir weiden uns an seinem Leid mit jener grausamen Wollust, die in ihrer urpsrünglichsten Roheit den Wilden stachelt, seinen gefangenen Feind zu martern, der sich in den Tierquälereien des naiven Kindes offenbart, die noch heut uns packt beim Anblick einer Lynchung oder Hinrichtung, und die eben durch die Dichtkunst allmählich veredelt und sittlichen Entwicklungszwecken dienstbar gemacht worden ist.[78]

Der dramatische Nebenzweck, durch Kampf und Rache selbst die atavistischen Neigungen zu befriedigen, stellt die Realisierbarkeit der ohnehin vage bestimmten sittlichen Entwicklungsidee in Frage. Die Häufung der Worte „ringen" und „kämpfen" zeigt,[79] wie sehr Dehmels neue Theorie eine dramatische Agonalität herausbildet, die sich zu verselbständigen droht. Das ideelle Moment der Tragödie wird derart mit dem Willen des Helden, der sie vertritt, verschlungen, daß sie mehr Ausfluß seiner Willkür als verbindliche Moralität darstellt. Der Tod des Helden, in der früheren Tragödie Sinnbild der Vernichtung durch objektive Mächte, wird bei Dehmel zur „Selbsterlösung"[80]. Die tragische Vernichtung reduziert sich auf die „mittelbare oder unmittelbare Selbstvernichtung, die von unerträglichem Seelenleid befreit"[81], auf den Selbstmord. Der Selbstmord ist nicht objektives Scheitern, sondern

---

[78] ebd, S. 492f.
[79] elfmal in diesem Abschnitt.
[80] ebd, S. 493.
[81] ebd, S. 493.

letzte Konsequenz der Willkür eines Helden. Der Begriff der Selbsterlösung bezeichnet den Solipsismus von Dehmels tragischem Helden, dem selbst der Tod noch untertan ist.

Wenngleich diese Darlegung der tragischen Wirkung sich eng an Schillers Affektenlehre[82] anlehnt, so überspielt sie doch den Sinn von dessen Tragödientheorie, den Widerstreit der moralischen Zweckmäßigkeit mit allen anderen möglichen Zwecken. Durch einen neuen Oberbegriff, das „natürliche Zweckbewußtsein", sollen Moral und Eudämonie ausgesöhnt werden. Bei Schiller hieß es rigoros:

> Die moralische Zweckmäßigkeit wird am lebendigsten erkannt, wenn sie im Widerspruch mit anderen die Oberhand behält; nur dann erweist sich die ganze Macht des Sittengesetzes, wenn es mit allen übrigen Naturkräften im Streit gezeigt wird und alle neben ihm ihre Gewalt über ein menschliches Herz verlieren. Unter diesen Naturkräften ist alles begriffen, was nicht moralisch ist, was nicht unter der höchsten Gesetzgebung der Vernunft steht; also Empfindungen, Triebe, Affekte, Leidenschaften so gut als physische Notwendigkeit und das Schicksal. Je furchtbarer der Gegner, desto glorreicher der Sieg.[83]

Dehmel sieht im Tod des Helden dagegen eudämonischen und sittlichen Zweck zugleich erfüllt.

> *Nicht die Gerechtigkeit* macht den Untergang des Ringenden *erforderlich,* weil er *Schuld* auf sich geladen hat, die *Sühne;* wer könnte auch darüber entscheiden? nur der dogmatische Idealist! Sondern das natürliche *Zweckbewußtsein* macht ihn *notwendig,* einerseits als sittliches Zweckbewußtsein, weil da ein Mensch einen Kampf heraufbeschworen hat, dem seine sittliche *Unzulänglichkeit* (seine Vernunft) nicht gewachsen ist, [...] – andererseits als sinnliches Zweckbewußtsein, als Glückseligkeitstrieb, weil die Rückwirkung jener Unzulänglichkeit solches *Leid* in ihm erzeugt, daß sein Leben widersinnig [...] wird.[84]

Der Rückgriff auf ein „natürliches Zweckbewußtsein" soll Schillers tragischen Antagonismus von Freiheit und Sinnlichkeit aussöhnen; jedoch gelingt das nur um den Preis der Unterscheidung von übergeordnetem Zweck und der Willkür des Tragödienhelden. Die Reduktion der Tragik auf „die tragische

---

[82] vgl. Über den Grund des Vergnügens an tragischen Gegenständen, Über die tragische Kunst.
[83] Über den Grund des Vergnügens an tragischen Gegenständen. Werke, Bd. VIII, S. 20.
[84] Alltagstragödie, S. 493.

Unvernunft des Menschen", die aus dem „Glauben [...] an seine Ausnahmestellung im Ganzen und den Folgerungen, die der Einzelne daraus zieht"[85], entsteht, wandelt die Tragödie in ein irrationales Willensdrama um. Gleich dem Naturprinzip von Werden und Vergehen erhebt sich der heldische Wille, sucht sich durchzusetzen und zerstört scheiternd sich selbst. Was an Dehmels Konzeption zunächst klassizistisch anmuten möchte, ist in Wahrheit lebensphilosophischer Monismus. Gegen die naturalistische „Zustandsschilderung"[86] sucht Dehmel die dramatische Gestaltung der Tat zu stellen; ihr Komplement ist Selbsterlösung, in der sich die Verklärung des Todes wiedererkennen läßt. »Frühlings Erwachen« begrüßt Dehmel als Vorboten des „Dramas der Zukunft", dem er mit seinem Aufsatz den Weg bereiten wollte. Unter dem Eindruck dieser Dichtung erfährt es die erweiterte Bestimmung als

> Drama der wirklich modernen Charaktere mit aller ihrer stetigen Bewußtheit und stets variablen Unbewußtheit, ihrer urnaiven Selbstverständlichkeit und differenzierten Sittlichkeit, [...] ihrer liebenden Brutalität und Menschlichkeit.[87]

Das Quidproquo von Naturhaftem und Geistigem, das vorher nur abstrakt der Begriff „natürliches Zweckbewußtsein" faßte, entfaltet sich in dieser Beschreibung moderner Charaktere. Mit der Differenzierung wachsen die Anforderungen an die neue Dramatik. Anstatt der großen Tragödie sei Wedekind nur eine „Kindertragödie" gelungen. Er habe „darin den Menschen Melchi (sic!) Gabor, den Knaben der Gegenwart mit dem Hammer der Zukunft, – ja nicht zu vergessen Moritz Stiefel und Hänschen Rilow, den Traubenpflücker", geschaffen.

> Aber eines, Eines fürchte ich für diesen großen sensitiven Dichter in dieser ironischen Zeit. Ein Zerstörter, der an sich und dieser Zeit zu Grunde ging, schrieb mit seiner letzten Kraft auch für Ihn die flehentlichen Blicke (sic!): wirf den Helden in Deiner Seele nicht weg! halte heilig Deine höchste Tugend! Damit er fruchtbar werde, auch *Männer* zu machen, und – damit er ein Künstler werde. Damit sein dichterischer Trieb zum künstlerischen Beruf reife, – und zu jedem Beruf gehört Charakter, *Glaube an den Zweck und Ernst des Daseins.*[88]

---

[85] ebd, S. 493.
[86] ebd, S. 476.
[87] Erklärung, S. 1474.
[88] Erklärung, S. 1475.

Auf das Lob, das weiter oben allgemein der neuen Dramentechnik Wedekinds galt, folgt eine Kritik an seinem Helden: er sei nur ein Knabe. Das doppeldeutige „ja nicht zu vergessen“, das zur Erwähnung der passiven Figuren des Stücks überleitet, weist – freiwillig oder unfreiwillig – auf die lebensphilosophische Problematik dieser Dichtung. Es mag darin ein Lob der dichterischen Weite, die neben dem kämpfenden Helden auch noch Raum hat für den Leidenden und den nur Genießenden, gesehen werden; es kann sich aber auch dahinter – im Zusammenhang mit der Forderung nach heldischen Männern – die Kritik verbergen, daß in »Frühlings Erwachen« nicht nur ein Knabe Held ist, sondern daß die Nachbarschaft der unheroischen Figuren das Unfertige dieses Helden auch noch betont. Bleibt es doch offen, ob Wedekind der Hauptfigur Melchior Gabor den „Märtyrer“ Moritz Stiefel als Kontrastfigur zur Überlegenheit lebensbejahender Aktivität beigesellt, oder ob nicht beide Figuren den Zwang der Lebensmacht illustrieren, die den Trieb als Schicksal auferlegt. Die besorgte Warnung deutet darauf hin, daß Dehmel über seiner Freude an dem Vorboten einer neuen Dramatik die Gefährdung Wedekinds durch Fatalismus nicht entgangen ist.

Wedekind und Maeterlinck

Diese Gefährdung wird gerade von der zeitgenössischen Kritik beobachtet, die Wedekinds Dramatik in eine, heute überraschende Nähe zum frühen Maeterlinck rückt. So erschien im Jahre 1896 unter dem Titel »Frank Wedekind: ›Der Erdgeist‹, eine Tragödie« folgende, mit der Chiffre – zz – gezeichnete Kritik:

> Das ist nun also eine ganz neue Methode: Jede Person antwortet nicht auf die an sie gestellte Frage, sondern auf irgend eine andere, sich selbst gestellte, oder überhaupt nicht gestellte, wohl aber in der Luft liegende. Und die wirklich gestellte Frage fällt unter den Tisch. Der Leser wird paff, und frägt sich: Wo hab ich doch so reden hören? Richtig, in der Konditorei da und da; und auf dem Picknick bei der Gräfin so und so. Ja, ganz recht! So reden sie, die Marionetten, wenn sie nichts sagen wollen und doch am Gespräch teil nehmen wollen. – Die Probe ist also gemacht, der Leser wird an wirkliche Scenen erinnert. Und die Richtigkeit der Methode ist damit bewiesen. – Das ganze klingt manchmal wie ein Gespräch aufgezogener Puppen. Jede hat mehrere Stichwörter, und viele haben Stichwörter gemeinsam. Die Walze aber, die das Ganze erklingen macht, ist nur eine einzige; nur ein einziges Thema. Und es wird so lange fortgeorgelt und gedreht, bis jede Puppe präter propter

wenigstens einmal ihr Stichwort in einem günstigen Augenblick, wenn die anderen gerade frei sind, hinausgeschmettert hat und sich so dem Publikum bemerkbar gemacht hat. Es handelt sich z.B. in einer Scene um dreierlei Dinge: ums Chokolade-Trinken, um die gestrige Oper und um eine gelbseidene Toilette. Der Tenor ist dann folgender: „Trinken Sie gern Chokolade?“ – Auf diese Frage wird zunächst gar nicht geantwortet, sondern die nächste Person vor dem Spiegel sagt: „Ich finde, daß die Schleppe zu stark bauscht.“ – Auch diese Bemerkung fällt zunächst unter den Tisch, und ein Herr sagt: „Cigalini sang gestern Abend wieder einmal entzückend!“ – Erst jetzt kommt einer vierten Person nach dem Gesetz der Wiederkehr die Chokolade-Idee wieder in den Kopf, und sie schiebt ihre Tasse mit den Worten hin: „Ich möchte doch eine Tasse Chokolade!“ – als ob sie auf die erste Frage überhaupt geantwortet hätte. – Dann sagt eine weitere Person, die den Herrn wegen seiner Bemerkung über die Oper längere Zeit angestarrt hat: „Mir wäre auch die gelbseidene Schleppe zu hoch gebauscht!“ – Letztlich läßt sich auch die erste Person, die Chokolade angeboten, mit der Bemerkung hören: „Der Tenor sang falsch gestern!“ – und damit ist die Kette geschlossen. Wird nun das ganze Schema nach der Wahrscheinlichkeit der höchsten Kombination repetiert und variiert, so daß jede der sechs oder wieviel Personen ihre Stichwörter in soundsovielmaliger Gestalt zum Vortrag gebracht hat, dann bemächtigt sich des Lesers oder Zuschauers eine merkwürdige Impression, er hat die Empfindung einer Art Schwindels und er weiß nun ganz genau, daß 1) vom Chokolade-Trinken, 2) vom Zu-Hohen-Emporbauschen einer gelbseidenen Toilette und 3) vom Tenorist Cigalini die Rede war. Aber er erfährt es auf ganz andere Weise, als bisher! Er erfährt es nach dem System der Derwisch-Bewegungen oder des Bauchtanzes, wo *eine* Bewegung nichts bedeutet, die tausendfach wiederholte Bewegung aber uns schwindlig macht und in uns einen Eindruck erzeugt, der uns auf Stunden nicht mehr losläßt. Ist die Methode gut angewendet, wird der Tanz gut aufgeführt, dann hebt sich in uns auf einmal aus der Tiefe der Erinnerung ein Drang, die vorgeführte Scene in unserem wirklichen Leben in die Vergangenheit zurückzuverlegen. Damit verschwindet auf einen Moment das Proscenium oder das Buch, und die höchste Illusion ist erreicht. Wir meinen, die Scene in irgend einer Konditorei, in irgend einem Salon gehört zu haben, oder eben jetzt zu hören. Der Dichter hat dann sein Ziel erreicht. – Dies also ist *Wedekinds* Methode. Viele werden vielleicht denken, es sei eigentlich *Maeterlinks* (sic!) Methode, oder ihr doch sehr gleich. Dies wäre grundfalsch. Wedekind hat sein herrliches „Frühlings Erwachen“ – welches ich noch immer für unsere genialste dramatische Arbeit halte –

lange vor *Maeterlink* geschrieben; wenn auch dort diese hypnotische, diese auf Einschläferung unserer äußeren Sinne berechnete Methode noch nicht so zum Ausdruck gebracht ist. – Es kommt noch etwas hinzu: Die Personen reden bei *Wedekind* nicht alles, was sie wissen, oder wissen könnten, oder bei schicklicher Gelegenheit etwa anbringen möchten; sondern im Gegenteil: Die Hälfte oder zwei Drittel fällt unter den Tisch oder besser, bleibt im Unterbewußtsein, und würgt dort weiter, arbeitet dort als stumme Funktion, bis es bei nächster Gelegenheit plötzlich und unerwartet und in kindisch-tappiger Weise zum Vorschein kommt, so daß wir, die Zuhörer, gefangen werden, und uns zu sagen: „Was so albern herauskommt, das muß wahr sein!" –
Es ist also diese Methode, die allerdings mit der *Maeterlink*schen viel Gemeinsames hat, grundverschieden und entgegengesetzt der sog. naturalistischen Methode, wie wir sie etwa in der „Familie Selicke" oder in den *Hauptmann*schen Stücken oder in *Hermann Bahrs* „Mutter" kennenlernten. In dieser Methode, welche ich die deutsch-doktrinäre nennen möchte, hieß das Programm so: „Ich will mal alles in Naturstimmen, Gesten, Mimik, Grobianismen, Rührseligkeiten, geraden und verschrobenen Redensarten auf die Bühne bringen, was die fünf oder sechs Menschen, die da droben stehen, sagen *könnten;* nicht, was sie im Fall der Wirklichkeit belauscht, wirklich sagten, sondern mit Anspannung aller Kehlkopf- und Gesichts-Muskulatur sagen könnten." – Man merkt sofort den deutschen Doktrinär. Und es war kein Wunder, daß dieses nüchterne, verstandesgemäße Programm vor allem in Berlin zur Anwendung kam. Heute sind wir wohl alle einig, daß dieses Programm ins Wasser fiel. Und wir wissen auch warum?: Weil es ganz unmöglich ist, ein Parterre von allerlei zusammengewürfelten Gefühls-Menschen drei bis vier Stunden hindurch mit einem nach einer so nackten Verstandes-Methode komponierten Drama zu erwärmen oder zu befriedigen, oder sie nicht zu erschöpfen. Und wenn der Wille auf beiden Seiten noch so groß war, und das Parteiprogramm noch so strenge Parole ausgab: es ging nicht. Auf die Dauer ging es nicht zu sagen: Der Stelzenschritt ist die höchste Kunst. Man fiel plötzlich auf die Füße und merkte, daß es doch natürlicher war. – Nun kommen die andern, die Schmeichler, die Impressionisten, die mit dem musikalischen Rhythmus und dem Klingklang der Wörter arbeiten, die sich ahnungslos in unsere *Phantasie* einschleichen, und, statt von oben, vom Verstand, von unten, von der Seele aus uns fassen; die nicht dialektisch und didaktisch, sondern suggerierend und einbläserisch, flüsternd vorgehen. Und wie sagt sich der Künstler selbst? Wie würde er etwa sein Programm sich selbst gegenüber aufstellen? Ich will mal meine Seele in einen Zustand versetzen,

halb schlafend, halb wachend, so, daß oben in der Überlegung alles ausgelöscht ist, und die paar Persönchen, die da auf der Bühne herumagieren, wie Register, wie Orgel-Register auf einmal zu plappern anfangen, eine Art Gik-Gak, halb unterdrückte, halb miaute Laute, mit vergessenen Zwischengliedern, mit Überstolperungen von Gedanken; so daß ich mich ganz vergesse, und die Marionetten Recht behalten. – Das ist nun *Wedekind,* das ist *Maeterlink* und noch so viele andere. Man sieht gleich, daß diese Leute besonders eifrig die moderne französische Malerei, die komisch-tappige Mache der modernen Pariser Plakate, die parfümierte Art der heutigen Vorführung der Mysterienspiele mit Wachs-Marionetten in Paris studiert haben, wo, nach Art unseres Kasperl-Theaters, der Text hinter der Bühne gesprochen wird. Es ist eben der orientalisch-wälsche, suggestive Einfluß, der in der Kunst obenauf gekommen ist gegen die harte, kantige doktrinäre Art der Deutschen, die nun einmal dazu verurteilt zu sein scheinen, auf dem Gebiete der Metaphysik, der philosophischen Grübelei die Palme zu erringen, aber im Bereich der heiteren, farbigen, die Menge entzückenden Kunst der Sinne, der berückenden Phantasie, von den wälschen Völkern ins Schlepptau genommen werden müssen. – [89]

Obgleich der Autor die „neue Methode" mit der der naturalistischen Dramatik konfrontiert, verzichtet er nicht auf den Nachweis, daß auch die befremdende Art der Wedekindschen Dialogführung als Nachahmung sinnentleerter Konversation einer Probe an der Wirklichkeit standhält. Nicht die „gesellschaftskritische" Intention trenne die beiden Kunstrichtungen; ihr Unterschied sei lediglich in der Weise zu erkennen, wie die Heteronomie der dramatischen Figuren sichtbar wird. Während die Naturalisten die Bedingtheit der Individuen rational aus einem bestimmten Milieu herzuleiten versuchten, lasse Wedekind seine Figuren sich marionettenhaft nach einem verborgenen Prinzip bewegen. Das vom Kritiker erfundene Beispiel – nirgends ist in »Erdgeist« die Technik des „Aneinandervorbeiredens" so mechanisch angewendet – soll am Extrem verdeutlichen, wie das „neue Drama," anstatt sich aus dem Dialog zu entwickeln, an dem der Naturalismus noch festhielt, die Interruptionen des Unterbewußten erfährt.
Für die Theorie des Dramas der neunziger Jahre ist es bedeutsam, daß hier auf eine Wechselbeziehung von Unterbewußtem und Dramenstruktur aufmerksam gemacht wird; das, was bei Schopenhauer und Nietzsche als „Wille" in der Dramenhandlung verborgen war und sich ästhetisch nur in der Musik

[89] In: Die Gesellschaft, XII (1896). S. 693–695.

rein manifestierte, wird jetzt als das Unterbewußte zum Formprinzip des Dramas. Das neue Drama entrückt den Zuschauer der Gegenwart der äußeren Sinneseindrücke und bemächtigt sich der Erinnerung, die durch Assoziation im Unterbewußtsein des Zuschauers die Szene noch einmal erstehen läßt. „Der Drang, aus der Tiefe der Erinnerung die vorgeführte Szene in unserem wirklichen Leben in die Vergangenheit zurückzuverlegen", den der Dichter auslösen soll, um „die höchste Illusion" zu erreichen, gemahnt schon an Bergsons Lehre von der „mémoire involontaire", die später in Prousts Werk literarisch gestaltet wurde. Wie das unwillkürliche Eingedenken die Erstarrung des Bewußtseins aufhebt und die Evidenz des Vergangenen im Lebenszusammenhang gewährt, soll die Koinzidenz des Dramenverlaufs mit dem Strom des Unterbewußten den atavistischen Figuren Wahrheit verleihen. An ihnen reproduziert sich in Analogie zum kindlich-vorrationalen Erleben – nicht mehr durch Gesellschaftliches verstellt – die irrationale Herrschaft des „Lebens". Der Dichter soll sich vergessen, damit „die Marionetten Recht behalten"; das gemeinsame Gesetz in Wedekinds und Maeterlincks Werk, vor dem ihre Marionetten Recht behalten, sieht der Kritiker in der phantasmagorischen Gestaltung des Unterbewußten, welche die Preisgabe der Figuren an irrationale Mächte ausdrückt.

Während diese anonyme Kritik den vorrationalen Ursprung des modernen Dramas hinter der Beschreibung der neuen Technik und ihrer Wirkung auf das Unterbewußtsein im Verborgenen läßt, expliziert Arthur Moeller-Bruck, der ebenfalls frühzeitig die Bedeutung von »Erdgeist« erkannte,[90] den „weltanschaulichen" Hintergrund des „modernen Dramas". Es ist

---

[90] Schon im Jahre 1895 schrieb er folgende Rezension: „Frank Wedekind: »Der Erdgeist«. Eine Tragödie. Mit diesem Buche ist es sonderbar: ich kenne in allen Litteraturen auch nicht eine einzige Dichtung, die ihm verglichen werden könnte ... so selbständig, so durchaus neu wirkt es; – höchstens, daß es formal und hie und da auch seiner Anlage nach an die Art des Maurice Maeterlinck erinnert. Und darum, weil es so originell ist, reizt es auch so ungemein ... Alles ist symbolisch an ihm: der Titel, die Menschen, und mit den Menschen auch das Milieu – ja! die Bezeichnung ‚Tragödie' muß man so nehmen. Denn ein Drama in dem gewöhnlichen Sinne, ist es auf keinen Fall. Es giebt zwar Akte, Scenen, selbst mit peinlicher Sorgfalt angegebene Scenarien darin. Aber auf der Bühne würde es sich kindisch ausnehmen. Alles würde über die knappen, scheuen Dialoge lachen. Aber als philosophisches Kunstwerk, wie – um bei der deutschen Litteratur zu bleiben – wie der Simplicissimus, der Faust, die Totenmesse gelesen, wird es seine Wirkung nicht verfehlen. Dabei ist der Gedanke nicht einmal neu. Im Gegenteil! Allein von jüngeren Künstlern haben ihn Dehmel, Scharf und Przybyczewsky oft und treffend gezeichnet: es ist die Venusimperatorüberzeugung – der Glaube, daß über allem bedingungslos und rücksichtslos das Weib herrsche. ›Erdgeist‹ nennt es Frank Wedekind in seiner Dichtung, die zu einer furchtbaren Tragödie des Mannes wird, wie sie grausamer, brutaler und wahrer vielleicht

die so spezifisch moderne Weltanschauung des Fatalismus, die den Menschen den freien Willen und damit die freie That genommen, die mit einem grausamen, satanischen Lächeln aus den schönen Idealen einer naiveren Kulturperiode höchst lächerliche Idole gemacht und das erhabene Tier Mensch auf ein Niveau herabgedrückt – so tief, oh, so tief, daß gar nichts bleibt von dem stolzen Dünkel, in dem sich die Welt ein paar Jahrtausende gefallen hat. Und nichts ist an seine Stelle getreten als bei den feineren, differenzierteren Individuen, die den Geist ihrer Zeit mit dem Gehirne zu empfinden vermögen, ein entsetzliches Gefühl der Nichtigkeit, des Überflüssigseins, und bei den plumper organisierten, die lediglich durch ihre rohen Instinkte zu erkennen vermögen – die der Gleichgültigkeit, die sich auf alles erstreckt, nur nicht auf das Durchkosten des Augenblicks. Daher auch dies millionenstimmige „après nous le déluge" der Menge, das über ganz Europa hin im Delirantentaumel nach dem Raffinement neuer unerhörter Genüsse schreit, getrieben von dem dunklen, halb unbewußten Drange, sich auszuleben. Gott ist ja tot! [...] Unglaublich tragisch kann man dieses moderne fin de siècle Weltbild nehmen; und auch – unglaublich komisch. Auf jeden Fall bleibt jedoch der grandiose Hintergrund, auf den sich für unser erkennendes Auge das Leben abhebt – im Narrenfratzentanz, den Marionetten mit schlotternden Gliedern und gräßlich verrenkten Leibern ausführen, nach tief geheimen Gesetzen, ohne zu wissen warum, ohne zu wissen wozu ... nur weil sie müssen! weil sie müssen!!![91]

Die „fatalistische Weltanschauung" wird, als ob sie nicht von Menschen erdacht sei, selbst mit objektiver, schicksalhafter Macht ausgestattet: sie ist über das „erhabene Tier Mensch" verhängt. Die geistig Orientierten führt sie zur Selbstaufgabe, während die Instinktgeleiteten den Genuß zum Lebensinhalt machen: Lebensverneinung und Lebensbejahung gelten hier als schicksalhafte Korrelate zu Geist und Instinkt. Beiden Haltungen wohnt nicht mehr wie bei Schopenhauer und Nietzsche – dem Wortsinn von „Verneinen" und „Bejahen" entsprechend – das Moment einer freien Willensentscheidung inne, so daß selbst die Verneinung des Willens zum Leben keine Möglichkeit zum Überschreiten der Willenssphäre enthält.

---

nie geschrieben wurde. Félicien Rops soll sie mit speziellem Bezug auf Paris mit gleicher satanischer Kraft und noch roherem Symbol gemalt haben." (Die Gesellschaft, XI (1895). S. 1682). Vgl. auch Moeller-Bruck, Vom modernen Drama. Die Gesellschaft, XII. S. 931–938.

[91] Der Mitmensch. In: Die Gesellschaft, XII (1896). S. 1203.

Für die Kunst aber, die jetzt ein Leben zu gestalten hat, das die alten Begriffe von „Schuld" und „Sühne" nicht kennt, muß die neue Tragik notwendig in diesem stumpfen, stieren Zwange begründet liegen, der in allem ist, was in die Erscheinung tritt. Rein intuitiv hat das schon Shakespeare erkannt, gerade so wie das Wesen jener Weltanschauung, die ich oben als die moderne fixierte, in seinem Empfinden lebte: freilich wohl mehr geahnt, als mit seinem Gehirnbewußtsein erfaßt – wenigstens findet sich eine derartige Erkenntnis nirgendwo in Worten festgehalten. Dafür öffnen sich aber überall in seinen Werken weite, abgründlich tiefe Spalten, durch die man Blicke hinabwerfen kann in das wahre Wesen des modern gesehenen Weltbildes, die wie Ewigkeiten sind an dem tiefen Verständnis der neuesten Wahrheiten; und stets hat man bei der Lektüre seiner Dramen das Empfinden, als sehe man das fatalistische Gespenst umgehen. Nicht anders ergeht es (sic!) bei Maeterlinck, für den das Dasein überhaupt nur ein blutleeres Schattenspiel ist, in heller Mondnacht an die weiße Wand eines stillen einsamen Hauses geworfen. Und ganz modern, in voller zweifelsfreier Erkenntnis, bereit, auch die letzte Konsequenz seiner Überzeugungen zu ziehen, kommt jetzt endlich Dehmel. [...] Das Negative von heute kann ihn nicht mehr befriedigen, und um in die Zukunft hineinzuwachsen, glaubt er deshalb nach dem Positiven verlangen zu müssen. Er weiß ja, daß der Apfel der Erkenntnis zum zweiten Mal genommen ist, weiß auch, daß sie diesmal „jenseits von Gut und Böse" heißt, und daß sich ein zweites Reich auf ihr aufbauen kann, wenn es gelingt, die neuen Werte recht zu verwerten. Starke Menschen, Vollmenschen braucht es dazu – Übermenschen, wenn man will: Übermenschen, in denen an Stelle des gestürzten freien Willens zur Wahl ein lebendiger, individueller Trieb wach ist, sei es zum Vernichten bestehender, sei es zum Begründen und Aus-sich-herausentwickeln neuer Werte.[92]

Moeller-Bruck leitet von Verneinung und Bejahung des Lebens zwei verschiedene Dramentypen her: zum einen die auf der Negation beharrende Darstellung des Verhängnisses, welche die Realität des fatalistischen Zwanges unwiderleglich bewußt machen soll,[93] zum anderen die Gestaltung einer

[92] ebd, S. 1203f.

[93] Nicht zufällig reklamiert Moeller-Bruck Shakespeare als Vorläufer der fatalistischen Tragödie. Hatte schon Schopenhauer das christliche Trauerspiel der antiken Tragödie vorgezogen, weil in ihm der „Geist der Resignation direkt" hervortrete, so ist Maeterlincks Erstling »La Princesse Maleine« aus einer Wahlverwandtschaft zu Shakespeare sentstanden. Als der am wenigsten christliche barocke Dramatiker scheint er am ehesten zum Vorbild der hoffnungslosen Fatalität geeignet, die das Drama des frühen Maeterlinck durchzieht.

dramatischen Handlung, in der „Übermenschen“ „neue Werte“ setzen. Indem an die Stelle der fatalistischen Tragödie die des Übermenschen treten soll, vollzieht sein Urteil die Entwicklung der Lebensphilosophie von Schopenhauer zu Nietzsche noch einmal literarhistorisch. Die Auffassung, daß „die neue Tragik notwendig in diesem stumpfen, stieren Zwange begründet liegt, der in allem ist, was in die Erscheinung tritt“, knüpft an Schopenhauers Lehre von der universalen Kausalität des Willens an. Bei Schopenhauer konnte nur die Lebensverneinung vom blinden Willen erlösen; Moeller-Bruck sieht das Verdienst der fatalistischen Tragödie darin, daß sie das Dasein als ein „blutleeres Schattenspiel“ erkennen läßt, dem die Menschen in der Welt der Erscheinungen unterworfen sind. Wenn die moderne Tragödie als einzigen metaphysischen Begriff die geheime Kausalität der „Erscheinungen“ gestaltet, führt sie von trügerischen Hoffnungen weg zur Erkenntnis metaphysischer Verlassenheit.
Diese Gestaltung fatalistischer Negativität soll Richard Dehmels Drama »Der Mitmensch« ablösen, das den aktiven Helden in den Mittelpunkt rückt, ein Umschlag, dem Nietzsches Antithese zur Willensverneinung Schopenhauers zugrunde liegt. War schon in Dehmels eigener Tragödientheorie die Konzeption der „sittlichen Entwicklungsidee“ fragwürdig, da die Willkür des Helden einer objektiven Ausprägung dieser Idee im Wege stand, so kehrt diese Problematik jetzt in der Kritik seines dichterischen Werkes wieder. Wenn Moeller-Bruck sie mit Begriffen Nietzsches zu lösen versucht, so wiederholt er nur Dehmels Auffassung, zeigt aber damit, daß Dehmels Theorie nicht auf Schiller zurückgriff, sondern in Wahrheit auf Nietzsche beruhte. Ebenso unvermittelt wie Dehmel von Hauptmann den aktiven Helden fordert, ohne jeden Zweifel an den Möglichkeiten dichterischer Realisierung, lobt nun Moeller-Bruck, daß Dehmel Übermenschen gestalte. In der Nachfolge Nietzsches wird Positivität allein durch das Pathos der „Zukunft“ gerechtfertigt. Moeller-Brucks Zukunft der „Erkenntnis jenseits von Gut und Böse“ und der „neuen Werte“ löst die theoretische Problematik des modernen Dramas ebensowenig wie Dehmels fragwürdiger Begriff einer sittlichen Entwicklungsidee. Dramatische „Vollmenschen“ sollen den Widerspruch von gegenwärtigem, blindem Lebensprozeß und den zukünftigen „neuen Werten“ überwinden; doch schon der Gedanke an einen „lebendigen, individuellen Trieb“ läßt die Gewaltsamkeit dieser Lösung erkennen. Vitalisierte Richard Dehmel die Idee zur „Kraft“, um durch den Willen, die Kraft im dramatischen Helden, Geistiges und Naturhaftes zusammenzuzwingen, so sucht Moeller-Bruck den Trieb, das Gegenteil des Individuellen, zu individualisie-

ren, um aus dem naturhaften Allgemeinen neue Individualität erstehen zu lassen. Die dramatischen Helden sollen, wie der „Übermensch“ Nietzsches, im Beharren auf naturhafter Spontaneität „neue Werte“ erschließen, in der Hingabe an das Leben erst die wahre Individualität ausbilden: die befreite menschliche Natur soll das neue Zeitalter herbeiführen.

Lublinskis neoklassische Tragödie

Das Drama »Hidalla« (1904) beschließt die frühere Epoche der künstlerischen Entwicklung Frank Wedekinds. Er verabschiedet hier endgültig die Hoffnung auf Lebenserneuerung. Dieser Abwendung, in der sich Wedekinds Abkehr vom Jugendstil bezeugt, entsprechen auf literarischem und künstlerischem Gebiet ähnliche Veränderungen[94], von denen auch die Theorie der Tragödie nicht unberührt bleibt. Im Jahre 1904 zieht Samuel Lublinski seine »Bilanz der Moderne«, deren Mittelpunkt eine Kritik des modernen Dramas bildet. Von der neuen Basis einer neoklassischen Tragödie ausgehend vermag Lublinski eine verborgene Einheit in der widersprüchlichen Entwicklung seit dem Naturalismus zu entdecken. Er sieht die Entwicklung des modernen Dramas als Lösungsversuch einer allgemeineren philosophischen Schwierigkeit:

> Das Problem war: Zwischen Individuum und Universum das richtige Verhältnis auszuspüren, eine Zeitformel zu finden, die keiner Willkür entsprang, sondern organisch aus den Verhältnissen erwuchs. Der Naturalismus hatte dieses Problem entdeckt und formuliert [...]. [Es] erwies sich die stilistische Notwendigkeit, ganz starke und rücksichtslose

---

[94] Hofmannsthals Lustspieldichtung, die sich dem „Sozialen“ zukehrt, beginnt um 1907 (vgl. Silvia im „Stern“, hg. Stern, Bern–Stuttgart 1959, S. 200). Im Jahre 1904 führt das Cézanne-Erlebnis Rilke zu einer neuen Sachlichkeit (vgl. Meyer, Rilkes Cézanne-Erlebnis. In: Zarte Empirie, Stuttgart 1963, S. 244ff.). Die Jahre 1906/7 schließen das Frühwerk Heinrich Manns ab; unter dem Einfluß Michelets, Rousseaus und Voltaires wendet er sich einer neuen Einschätzung des Gesellschaftlichen zu (vgl. Schröter, Anfänge Heinrich Manns, Zu den Grundlagen seines Gesamtwerks. Stuttgart 1965, S. 6). Stefan Georges Hinwendung zu Dante und Paul Ernsts Bemühung um eine neue Klassik fallen in diese Zeit. Walter Rehm hat in seinem Aufsatz »Der Renaissancekult um 1900 und seine Überwindung« (ZfDPh, Bd. LIV, 1929, S. 296–328), der den Schwerpunkt der Renaissanceverehrung von den Gründerjahren in die Jahrhundertwende verlegt, als erster Literaturwissenschaftler den Umbruch im ersten Jahrzehnt des 20. Jahrhunderts zu kennzeichnen versucht. Dieser Abkehr von der ästhetizistischen Einheit von Kunst und Leben entsprechen im kunstgeschichtlichen Bereich die Spaltung der Wiener Sezession 1905 und die Gründung des Deutschen Werkbundes 1906.

> Naturen auszuschalten oder auf das Altenteil eines passiven Heroismus zu verweisen. [...] Der Naturalismus verfeinerte die Mittel, indem er alle Konsequenzen aus ihnen zog. Das Milieu wurde allgemach zur atmosphärischen Stimmung, die den Menschen mit weicher Luft ringsher einhüllte und aufsog [...]. Als Reaktion dagegen trat ursprünglich die Neu-Romantik auf, die die Stimmungskunst des späteren Naturalismus noch mehr vertiefte, zugleich aber den heroischen Versuch wagte, die Persönlichkeit dem Universum aufzuzwingen. Man muß es aussprechen, daß dieses Streben auf der ganzen Linie gescheitert ist [...]. Nur wo die neuromantische Persönlichkeit kapitulierte und lediglich in rein artistischer Weise Stilkunst betrieb, sonst sich aber von den Wellen der Unendlichkeit wehr- und hilflos treiben ließ, gelangen ihr Kunstwerke, die sich naturgemäß nicht in großen Formen ausleben konnten: die Lyrik, die Skizze, die dialogisierte Ballade. Als Maeterlinck aber ein Drama großen Stils schaffen wollte, erlebte er einen künstlerischen Mißerfolg [...].[95]

Dem Naturalismus Hauptmanns und Schlafs wird das Verdienst zuerkannt, gegenüber dem falschen Heroismus des Dramas der Gründerzeit den Helden durch konkreten Bezug auf die Zeitverhältnisse problematisiert zu haben. Jedoch machte die naturalistische Lösung, Heroik nur in der Passivität zu gestalten, die Überwindung dieser Einseitigkeit notwendig. In der Neuromantik fallen dann die beiden Momente, Heroik und Passivität, aus ihrer naturalistischen Einheit heraus. Die eine, an Nietzsche anknüpfende Richtung – Lublinski zählt ihr Wedekind zu[96] – unternimmt gewaltsam den Versuch, aktive Helden zu gestalten. Die andere Richtung, deren Prototyp Maeterlinck ist, verzichtet auf das heldische Individuum und damit auf die große Form, letztlich das Drama überhaupt.
Wenig später beschreibt Lublinski, von jener neoklassischen normativen Bestimmung von Individuum und Kosmos ausgehend, die innere Beziehung von heroischer Lebensbejahung und passiver Verneinung des Lebens. Sie manifestiere sich in der Zwiespältigkeit der „neuromantischen" Richtung:

> Der Einzelmensch mußte in ein reinliches und klares Verhältnis zum Kosmos gelangen, mußte genau wissen, wie weit er vordringen durfte, und von wo ab ihm eherne Mauern ihr unerschütterliches Halt entgegenriefen. Die Moderne hatte dieses Weltverhältnis, eine ihr entsprechende Philosophie noch nicht gefunden und bewegte sich darum gegen-

[95] Die Bilanz der Moderne, Berlin 1904, S. 178.
[96] ebd, S. 180.

über dem Weltgeheimnis in den wildesten Extremen des vermessensten Übermuts und der gänzlich verzweifelten und willenlosen Preisgabe.[97]

Daß Lublinski zwar die lebensphilosophischen Extreme in ihrem Zusammenhang erkennt, seine normative Forderung aber das Verständnis für diese lebensphilosophische Schwierigkeit vermissen läßt, kündet mit der Einsicht zugleich das Ende der Aktualität dieser Problematik an. War die Problematisierung des tragischen Helden aus einem in der Lebensphilosophie begründeten Verfließen der Grenzen von Kunst und Leben entstanden, sei es zur Lebenssteigerung, sei es zur Erlösung von der Herrschaft des „Willens", so sollte jetzt die scharfe Trennung von Kunst und Leben eine neue künstlerische Blüte hervorbringen. Die Loslösung vom Leben sollte eine ästhetische Monumentalität schaffen, die der Übermacht des amorphen Lebens gewachsen ist. Schon 1900 bemerkte Lublinski in einem Aufsatz über »Kunst und Leben« zu dem Satz August Messels „Der moderne Architekt wird monumental sein, oder er wird gar nicht sein":

> Dieses Wort gilt aber durchaus nicht nur für die Architektur, sondern schlechthin für die gesamte Kunstbetätigung dieser Tage. Wenn die Kunst nicht hinter dem praktischen Leben zurückbleiben will, das mit seinen Organisationen den Erdball umspannt, dann muß sie größer sein als dieses Leben [...] .Das ist nicht möglich ohne einen Bruch und eine grundsätzliche Feindschaft.[98]

Diese neue Monumentalität bedeutet für die Tragödie die Forderung nach einem Helden, der frei ist von „vermessenem Übermut" wie „verzweifelter Preisgabe", ohne Rücksicht auf die Heteronomie der Lebensmacht, welche die Formproblematik ausgelöst hatte. Abgesehen von der Frage nach dem Wahrheitsgehalt einer solchen individualistisch-monumentalen Tragödie ist mit dieser Konzeption der theoretische Hintergrund bezeichnet, vor dem sich einschneidende Veränderungen in der Dramatik des späten Wedekind vollziehen.

---

[97] ebd, S. 190f.
[98] Kunst und Leben. In: Nachgelassene Schriften, S. 44.

V

Individualproblematik und Neoklassik im Spätwerk

Wedekinds späte Dramen fanden in der Forschung wenig Beachtung; während sich eine Fülle von Arbeiten mit den Werken bis 1905 beschäftigt, gibt es nur eine Arbeit über das Spätwerk.[1] Der Verlust an ästhetischer Qualität, von dem unleugbar die Verflüchtigung der dramatischen Dichte und die selbst für Wedekind ungewöhnlich dürre und abstrakte Sprache zeugen, läßt dieses Verhalten der Forschung verständlich erscheinen. Für die Geschichte des deutschen Dramas im 20. Jahrhundert ist jedoch dieses Nachspiel als Versuch einer neoklassischen Dramatik paradigmatisch.

Nach den sehr privaten, formal der überzeichnenden Karikatur sich nähernden Werken »Die Zensur« (geschrieben 1906), »Musik« (geschrieben 1907) und »Oaha« (1908), die auf die selbstkritische Bilanz in dem Drama »Hidalla« (1904) und dem Einakter »Totentanz« (1905) folgen, versucht Wedekind, in »Schloß Wetterstein« (1910) seine Dramatik neu zu begründen. Anstelle von ,,Natur" und Lebensreform werden jetzt Ehe und Familie zum Problem; der Konflikt Individuum-Gattung rückt in den Mittelpunkt seiner Dramen. Nicht mehr ,,Natur" und Gesellschaft werden gegeneinander ausgespielt; die dramatischen Figuren, ehemals marionettenhafte Agenten dieser beiden Mächte, werden individualisiert und geraten in innerliche Konflikte. Wedekind sagt von »Schloß Wetterstein«:

> Die aufrechte Unerbittlichkeit, mit der starke Menschen, ungebrochene Vollnaturen, die sich als füreinander bestimmt erkannt haben [...], die Konsequenz ihrer Erkenntnis auf sich nehmen, das ist der Sinn und das Wesen dieses Werkes.[2]

Der neoklassischen Tragödie gemäß, mit der sich die Dichter von der Dramatik der neunziger Jahre abwenden, entspringen die Handlungen der Personen nicht dem triebgelenkten Willen, der dem moralischen Urteil entzogen ist. Waren die Handlungen des Dramenhelden vorher die eines Tieres, das

[1] Kujat, Die späten Dramen Frank Wedekinds, Jena 1959.
[2] zitiert nach: Kutscher, Bd. III, S. 101.

seinen Instinkten treu blieb, so sind sie jetzt Konsequenz von „Erkenntnis" und vollziehen sich unter dem moralischen Zeichen „aufrechter Unerbittlichkeit".[3] In »Schloß Wetterstein« fehlt – und das gilt für das gesamte Spätwerk – die zentrale Entgegensetzung von Lebensstärke und Lebensschwäche, die das Doppelgesicht des „Lebens" wiedergab. Statt der komplementären Figuren des Melchior Gabor und des Moritz Stiefel, der Lulu des »Erdgeist« und jener der »Pandora«, statt der feindlichen Brüder Keith und Scholz, des schönheitsdurstigen Hetmann und der innerlichen Fanny Kettler in »Hidalla«, dem Werk, das diesen Dualismus auflöste, treten in allen späten Dramen „starke Menschen" auf. Ihr Schicksal soll nicht von außen bestimmt werden, sondern in ihnen selbst gründen. Da die Handlungen nicht nur einem starken Einzelwillen entspringen, sondern auch als Konsequenz von Erkenntnis konzipiert sind, ergibt sich als hervorstechendstes formales Merkmal der neuen Dramenkonzeption ein weitgehender Verzicht auf die Technik des „Aneinandervorbeisprechens", die früher die übergreifende Einheit des Sinnes herstellte. Die dramatische Agonalität wird von Wedekind gewaltsam zum argumentierenden Dialog vergeistigt. In »Schloß Wetterstein« gewinnt der Dialog eine solche Bedeutung, daß er unmittelbar die Handlung bestimmt: Rüdiger von Wetterstein gewinnt Leonore durch seine überzeugenden Gründe, Tschamper aus Atakama mordet allein durch Worte.

Die Familientragödie »Schloß Wetterstein«

Das Drama beginnt unproblematisch mit der Widerlegung der bürgerlichen Ehe und der Begründung einer neuen, die allein auf dem Willen der Partner beruhen soll. Diese Kritik gibt nur die Voraussetzung für die spätere Problematisierung der Ehe auch in jener individuellen Form, für die Rüdiger von Wetterstein eintritt. Der Kernszene dieses gedanklich konventionellen Vorspiels liegt ein literarisches Vorbild zugrunde,[4] wodurch auch das stofflich Anstößige, Leonores Verlöbnis mit dem Mörder ihres Gatten, als Reprise gemildert wird. Nach dem Tode ihres Gatten verzichtete Leonore von Gystrow auf ein neues Leben: im Traum führt sie ihre Ehe fort und glaubt, ihr Gatte könne „auch jetzt noch nicht ohne sie auskommen" (VI, 9). Als „Hüterin seines Andenkens" (VI, 21) hält sie seit eineinhalb Jahren auf strengste Trauer. Ihr Name scheint auf die selbstlose Heldin des »Fidelio« anzuspielen.

---

[3] zitiert nach: Kutscher, Bd. III, S. 84.
[4] die 2. Szene des I. Aktes von Shakespeares Richard III.

Wedekind läßt seine Figur an der Aura dieser bürgerlichen Idealfigur, die am Ende des 19. Jahrhunderts nur mehr als Zerrbild weiblicher Unterwürfigkeit erschien, teilhaben, um ihre Unterordnung zu bezeichnen. Leonore beschreibt ihre Abhängigkeit vom Gatten: „Was war ich denn, bis er endlich das Weib aus mir geschaffen hatte, das seiner Liebe würdig war! Da fand ich mein Glück in seinem Glück. Was ihm gefiel, dafür war ich entflammt. Was ihn schmerzte, hätte ich ohne Bedenken vom Erdboden getilgt." (VI, 18) Das Schönste, was man von einer verheirateten Frau sagen kann, ist für sie, „daß sie ihren Gatten über alles liebt" (VI, 19). Es sind jedoch nur innerlich gebändigte Regungen wie unbedingte Liebe und Heldenmut (ebd), die ihr Glück bestimmen. Als Rüdiger von Wetterstein sein Recht auf ihre Hand damit begründet, daß er „die größten Opfer" (VI, 27) für sie gebracht habe, entgegnet sie: „Das gäbe eine Folterkammer von Ehe!" (ebd) Sie hält eine autonome Frau, die Vernunft mit Leidenschaft vereinigt (VI, 19), für einen „Ausbund", den ein Mann gar nicht rücksichtslos genug bekämpfen kann, wenn sein Leben nicht zur Hölle werden soll (VI, 19f.). Der Preis, den sie für den Bestand ihres konventionellen Glücks zahlt, ist die im Verzicht auf Vernunft und Leidenschaft sich vollziehende Anpassung. Diese soll die „Folterkammer" der Ehe in ein komfortables Interieur verwandeln, in dem sich die Innerlichkeit der Frau heimisch machen kann.

Dem Heiratsantrag Rüdigers hingegen geht die grundsätzliche Absage an die gesellschaftliche Integration der Ehe voraus. Daß er den Major getötet hat, ist für ihn nicht das Hindernis, welches eine Ehe mit dessen Frau ausschließt, vielmehr planvoll genutztes Mittel, das seinen Antrag erst möglich macht. Ohne stabilisierende Konventionen soll die Ehe allein durch die jederzeit kündbare Übereinkunft selbstverantwortlicher Individuen bestehen. „Die Ehe ist für den Menschen da, nicht der Mensch für die Ehe!" (VI, 27) Sie erhält Dauer durch den Wert der Partner, denen Treue nicht lästige Pflicht, sondern Wahrung des eigenen Interesses bedeutet (VI, 29f.). Die freie Entscheidung der Frau ist bei Rüdiger von Wetterstein kein Sophisma; als Leonore, noch in ihrer früheren Rolle verharrend, mit den Worten „Greifen Sie doch nur zu" sich als Objekt anbietet, entgegnet er: „Ich nötige mich nicht auf!" (VI, 28) Ihre Entscheidung für Rüdiger bedeutet die Abkehr von der patriarchalischen Ehe. So kündigt das anhaltende Läuten am Ende der Szene nicht die Rache des Majors an (VI, 31). Die „gute Gesellschaft" lassen sie hinter sich; jedoch die dirnenhafte Tochter drängt sich von Beginn an zwischen Rüdiger und ihre Mutter. War am Schluß von »Erdgeist« und »Marquis von Keith« Lärm hinter der Szene Ausdruck äußerster sprachloser

Drohung, die panische Angst erzeugte, so läßt Wedekind Rüdiger und Leonore das bedrohliche Läuten mutwillig kommentieren. Die falsche Selbstsicherheit der Personen soll ihm die Bedeutung eines Verblendungsmotivs verleihen. Da aber Wedekind nicht weiter motiviert, warum Effie als Tochter aus gutem Hause Dirne ist, fehlt dem Motiv die Notwendigkeit der Verblendung. Das Läuten wird zum Kitt theatralischer Routine, dazu bestimmt, einen neuen, nicht schlüssigen Auftritt einzuleiten. Wedekind, dem es nicht gelingt, die Bedrohung der Ehe durch die Dirne aus innerer Konsequenz zu entwickeln, greift auf ein Mittel seiner frühen Stücke zurück, das in dem neuen Zusammenhang der Heldendramatik zum Versatzstück wird und ein fehlendes Glied in der Motivationskette ersetzen soll. Das schrille Läuten soll das Vergebliche einer freien Ehe, schon im Augenblick ihres Beginns, allein dadurch demonstrieren, daß die Tochter ihrer Mutter Konkurrenz macht.

Wedekind will auch der freien Ehe nicht wohl und stellt sie im zweiten Akt auf die Probe. Rüdiger von Wetterstein versuchte, die „gute Gesellschaft" zu überspielen und in Südafrika die Zugehörigkeit zur „großen Welt" (VI, 41) zu erzwingen. Dabei fiel er Luckner in die Hände, einer barbarischen Gestalt, die rohe Kraft mit Kapitalstärke vereint. Manifestierte sich Rüdigers eigenmächtige Selbstsicherheit in der Ehe mit Leonore, so wird jetzt seine Ohnmacht daran deutlich, daß er Luckner, der Leonore begehrt, nicht entgegenzutreten vermag. Vor der Übermacht Luckners, dessen Zügellosigkeit für die entfesselte Gewalt jenseits der bürgerlichen Gesellschaft steht, verliert Rüdiger den selbstherrlichen Willen. Bereit, ins Gefängnis zu gehen und sich von der Gattin zu trennen, bereut er, Leonores früheres Glück zerstört zu haben und beklagt, von der Gesellschaft ausgestoßen zu sein,[5] die er verachtet hatte. Anders als der Marquis von Keith, dessen Intransigenz für das Lebensprinzip stand, widerruft Rüdiger seinen Glauben auf der Folter. Wedekind läßt seinen Helden sich selbst dementieren und vergönnt nicht einmal der Intention Rüdigers eine Berechtigung.

Gegenüber diesem kleinmütigen Rückzug hält Leonore an ihrer Bindung fest, die sie gelehrt hat, „was Glück heißt" (VI, 39). Das Gefängnis, die Unterwerfung unter die bürgerliche Ordnung, ist für sie kein Ausweg; aber auch ihr bleibt nur die Wahl, entweder gemeinsam mit Rüdiger zu sterben oder sich Luckner hinzugeben. Selbstmord oder Ehebruch werden als die schließliche Alternative einer Ehe hingestellt, die lediglich zur Steigerung

---

[5] Rüdiger bezeichnet dies als „unverhofften Schlag" (VI, 41), obwohl er es vorausgesehen hatte, als er Effie mit der Geheimhaltung der Verlobung beruhigte (VI, 32).

des Lebensglücks geschlossen wurde und auf der freiwilligen Wahrung der Treue beruhte.
Scheinbare Rettung kommt für Rüdiger und Leonore, die einander resignierend versichern, sich im Falle der Verhaftung zu töten, von außen. Effie rät, durch geheuchelte Schamlosigkeit Luckners Begehren zu ersticken und den Vollzug des Ehebruchs zu umgehen. Während Leonore bei diesem Vorschlag an „Abgründen" (VI, 45) anlangt, gewinnt Rüdiger aus Effies Lebenslust neuen Mut. Die Dirne hat über die Ehe gesiegt, wenn Rüdiger, den vorher schon der Gedanke an die Hingabe der Gattin entsetzte (VI, 42), unter ihrem Einfluß Leonore ermuntert, sich mit vorgetäuschter Leidenschaft zu prostituieren (vgl. VI, 45). Weil ihm „die ganze fluchwürdige Entsetzlichkeit der Ehe zutage" (VI, 43) trat, zieht Rüdiger „die Lust, die Effie mit vollen Händen austeilt", der vor, „zu der erst ein feierliches Einverständnis nötig war."[6] Aber während noch Effie die Öffentlichkeit der Liebe als Erlösung aus dem Dunkel der Ehe preist, geschieht doppeltes Unheil. „Schamlosigkeit", die Effie als Befreiung vom Zwang der Ehe preist und die Leonore zeigt, wird von Wedekind sogleich in die Nähe des Todbringenden und moralisch Schuldhaften gerückt. Luckner, der in Leonore ein „himmlisches Opfertier" (VI, 9) zu besitzen glaubte, wird das unerwartete Begehren der Frau zum Verhängnis. Daß allein die Enthemmung Leonores genügen soll, Luckner zum Selbstmord zu bringen, zeigt, wie gewaltsam Wedekind im Spätwerk die innere Problematisierung der Figuren angeht. Mit einer barock anmutenden Zerstückelung des Organischen dient ein anatomisches Detail, eine bestimmte Stelle des Hinterkopfs, zur Bezeichnung von Innerlichem. War bei Moritz Stiefel der Kopf Metapher des Lebens schlechthin, ließ Kopflosigkeit ihn rein zur Erscheinung des Todes werden, so ist Luckner an der einen Stelle seines Kopfes, der niemand zu nahe kommen darf (VI, 36), dem Sitz seines Selbstbewußtseins, verletzlich. Durch diese eine gefährdete Stelle sucht Wedekind auch bei der animalischsten Figur des Dramas einen innerlichen Konflikt zu motivieren. Luckner ist ein hörnerner Siegfried, der nicht von einem Feind hinterrücks gemordet wird, sondern als später Ausläufer der Subjektivierung germanischer Heldengestalten im 19. Jahrhundert sich selbst von hinten in den Kopf schießt. Sobald die Frau nicht nur Objekt seiner Sexualität ist, wird Luckner an sich irre und wendet sich gegen sich selbst. Sein Ende kommt einem Gericht gleich. Ebenso ist Leonores Bereitschaft zur Schamlosigkeit

[6] so in der ungemilderten 1. Fassung dieses Aktes, Mit allen Hunden gehetzt. Schauspiel in einem Aufzug. München und Leipzig 1910, S. 52.

eine Verfehlung, die sich rächt: sie vollendet den Sieg der Dirne und bringt die Ehefrau ins Gefängnis.

Thema des dritten Aktes ist die Prostitution. Auf dem alten Schloß Wetterstein, das die Familie Rüdigers vor Jahrhunderten verlor, hält Effie Hof. Die Eltern sitzen dort auf dem Altenteil und werden von der Tochter unterhalten, die ihnen eine Leibrente sichert. Die Ehe, die „Menschenwürde erzeugen und sie den Kindern vererben sollte" (VI, 42, 44), ist zur parasitären Teilhabe an der Prostitution abgesunken. Nicht allein die Eltern sind von Effie abhängig, auch das Schicksal einer alten Dynastie liegt in ihrer Hand: Sie hat einen Prinzen zum Liebhaber, der sich durch ihr Geld sein Fürstentum erhält.[7] Nicht die Mächte Staat und Familie bedrohen hier die Dirne, sondern ein Vorgang im Bewußtsein, Selbsterkenntnis soll auch ihr Scheitern veranlassen. Effie verliert ihre Ungebrochenheit, als sie erfährt, daß ihre Sinnlichkeit, die sie zu ihrer „Weltanschauung"[8] erhoben hatte, nicht urwüchsig, sondern erst durch Krankheit entstanden ist. Es bezeichnet die Verinnerlichung des Konflikts, daß eine medizinische Erklärung – im Gegensatz zu Jack the Rippers tödlicher Chirurgie – dem „Versuchskaninchen"[9] den „Stich ins Herz"[10] versetzt, der Effie die Selbstsicherheit raubt. Professor Scharlach überwältigt sein Opfer nicht im tödlichen Kampf, sondern unabsichtlich, „hingerissen von dem Gegenstand seiner medizinischen Abhandlung",[11] zerstört er Effies Unbändigkeit. Nach dem Verlust ihres „goldenen Zeitalters"[12] bleibt Effie nur übrig, den Widerspruch, den ihr Scharlach „zum Bewußtsein"[13] brachte, „kämpfend" zu überwinden. Was sie vorher ihrer Natur anvertraut hatte, hängt jetzt allein von der Kraft ihres Willens ab: ein Akt des Bewußtseins soll aus der Naiven eine gefährdete Sentimentale machen. – Von dieser neoklassischen Bewußtseinsproblematik des Spätwerks bleibt selbst die Lulu-Figur nicht verschont. In der letzten Fassung des Lulu-Dramas von 1913 tritt Jack gar nicht mehr auf, sondern Lulu geht „mit offenen Augen" ihrem „Schicksal"[14] entgegen: Lulus freier Entschluß tritt an die Stelle der mörderischen Gewalt Jacks.

[7] Die Zitate des 3. Aktes sind aus der besser zitierbaren, weil nicht versifizierten 1. Fassung: »Schloß Wetterstein«. Schauspiel in drei Akten. München, (1912), ebd, S. 140f. Im weiteren zitiert als Schloß Wetterstein.
[8] ebd, S. 110.
[9] ebd, S. 110, S. 134.
[10] ebd, S. 110.
[11] ebd.
[12] ebd, S. 115.
[13] ebd, S. 112.
[14] Lulu, Trägödie in fünf Aufzügen, S. 220.

Von Beginn an verstellt Tschamper durch das Verbot, sich zu entkleiden, Effie den rettenden Rückzug auf ihre körperliche Schönheit. Während seine früheren Opfer durch ihre Nacktheit „hilflos wie Kinder wurden", würde Effie „zur Majestät", über die sein Geist keine Macht hätte.[15] Die Kleidung reduziert Effie auf ihre Individualität, engt sie auf ihr Ich ein, das den Angriffspunkt für den „psychologischen Mord" (IX, 453) bietet. So bemächtigt sich denn Effies bei der Frage nach dem traurigsten Ereignis ihres Lebens zum ersten Mal die bürgerliche Konvention. Sie, die schon als junges Mädchen in der Ehe das Geschäft der Frau sah (VI, 12), erzählt jetzt zitternd von ihrem ersten Ehebruch; die Erinnerung an den Vater steigert ihre Hilflosigkeit aufs höchste. Tschamper nimmt die Stelle des toten Vaters ein und fragt sie zärtlich nach Ehe und Kindern. Diesem Vorwurf der Vaterfigur hält Effies Dirnenstolz nicht stand; ihre Worte: „Glaubst du, ich wäre Dirne geworden, wenn ich einen Menschen gefunden hätte, wie du es bist",[16] tun die Vergangenheit als Irrweg ab. Sie verliert sich in eine leidenschaftliche Liebe zu Tschamper, dem sie Kinder schenken will[17]. Hatte Effie vorher geliebt, weil sie geliebt wurde, so empfindet sie jetzt eine Liebe, der sie alles opfern kann[18]. Ihre Selbstlosigkeit, die mit der Vergangenheit bricht, liefert sie dem Tode aus, da ihr zum Beweis, daß sie „alles zu opfern fähig"[19] ist, einzig der Selbstmord bleibt. Sobald die Dirne gezwungen wird, sich an den individuellen Ursprung, an ihre Kindheit im Elternhaus zu erinnern und den Bereich des Sexuellen zu verlassen, soll sie gegenüber der patriarchalischen Forderung nach selbstloser Unterordnung der Frau, gegen die sie sich auflehnte, wehrlos sein.

So endet das Drama, das im ersten Akt die patriarchalische durch die „neue" Ehe aufhob, im zweiten diese Ehe an der Prostitution scheitern ließ, damit, daß die Gewalt des Patriarchats sich in der Innerlichkeit der Dirne reproduziert und die Ordnung der Familie als ausschließliche erweist. Vor dem hier entwickelten gedanklichen Hintergrund des dramatischen Ablaufs wird Artur Kutschers Ansicht, der noch nicht widersprochen wurde, daß in diesem Drama „eine eigentliche Grundidee nicht da ist, wenigstens wird man nicht leicht als Idee ansprechen, daß der Dichter seine Anschauung über Frau, Liebe und Ehe gibt"[20], unhaltbar. Freilich ist Kutschers Urteil nicht zu-

[15] Schloß Wetterstein, S. 157.
[16] Schloß Wetterstein, S. 176.
[17] vgl. ebd, S. 175.
[18] vgl. ebd, S. 176.
[19] ebd, S. 177.
[20] Kutscher, Bd. III, S. 99.

fällig entstanden, und das vermeintliche Fehlen einer Grundidee verweist auf die „episierende“ Tendenz dieses Werkes, die sich in der Wiederholung dramatischer Konstellationen – jeder Akt hat den Kampf eines Mannes mit einer Frau zum Mittelpunkt – und der schließlichen Rückkehr zur patriarchalischen Ehe, mit der das Drama begann[21], ausprägt. Wedekind versuchte, dieser Tendenz zum Verfall der dramatischen Form mit stilisierenden Mitteln zu begegnen. Trotz der Familien- und Eheproblematik soll das Konversationsstück dadurch vermieden werden, daß die Personen „unter den unwahrscheinlichsten äußeren Umständen“[22] handeln und den Kriterien des Empirischen entzogen sind. In der endgültigen Fassung von »Schloß Wetterstein« schreckt Wedekind selbst davor nicht zurück, den Schluß des 2. Aktes und den ganzen 3. in freie Jamben zu übertragen. Das Bemühen um die große Linie spricht aus seiner Ankündigung des Werkes; um der Wirkung ins Statuarische willen teilt sie die einzelnen Akte dem „Mann“, dem „Weib“ und dem „Kind“ zu. (IX, 452)

Ein weiblicher Faust: »Franziska«

Diese Neoklassik, die in der Überhöhung von individuellen Konflikten eine neue dramatische Basis sucht, führt in dem folgenden Drama »Franziska« (1912) über den formalen Annäherungsversuch an das Versdrama hinaus zum inhaltlichen Rückgriff auf Tradition. Das moderne Mysterium »Franziska« stellt dem Faust, seit den Gründerjahren Idol heroischer Männlichkeit[23], eine Faustine als Inbegriff des Weiblichen gegenüber, deren Entwicklung in Parallele zu Goethes »Faust« gebracht wird.

Der knappe früheste Entwurf der Pariser Zeit (um 1894)[24] beschränkte sich – ohne die Prätention eines Weltgedichtes – auf die geschlechtliche Entwicklung der Heldin. Sie paktiert mit dem Teufel, um Mann zu werden, wünscht, als sie ihre Inferiorität gegenüber einem wirklichen Manne erfährt, wieder Frau zu sein, und unterliegt diesem Manne im „Kampf der Geschlechter“[25], der mit Brachialgewalt geführt wird. Diese Faustine ist ein Mannweib, dem die geringere Körperkraft zum Verhängnis wird. Im Gegensatz zu dieser

[21] Der Roman »Europäisches Sklavenleben« charakterisiert die Unfreiheit der Witwe, die von niemand anderem als dem verstorbenen Gatten träumt (vgl. VI, 9).
[22] siehe Anmerkung 2. Wedekind selbst stellt die Möglichkeit eines „pyschologischen Mordes“ in Frage, vgl. IX, 453.
[23] vgl. Schwerte, Faust und das Faustische. S. 154f.
[24] siehe Kutscher, Bd. III, S. 113.
[25] ebd, S. 113, S. 114.

frühen Konzeption, deren Drastik die Nähe zur gleichzeitig entstandenen »Kaiserin von Neufundland« verrät, ist die Heldin des 17 Jahre späteren »Mysteriums« eine Emanzipierte, die sich mit rationalen Mitteln dem Zwang der Ehe widersetzt. Die Erinnerung an die Eltern hält Franziska davon ab zu heiraten; sollte sie Kinder bekommen, genügt ihr eine Geburtsversicherung. Vor allem möchte sie erfahren, „wer sie eigentlich ist und sich selber nicht fremd bleiben“ (VI, 114). Hofmiller gab sie sich nicht aus Liebe hin (VI, 113), diese Erfahrung sollte das Begehren stillen und ihr Frieden bringen (VI, 117).[26] Ist Faust dem Erdgeist nicht gewachsen und bildet dieses Scheitern an der Natur die Voraussetzung für den Pakt mit Mephisto, so bringt Franziska der Versuch, durch Dr. Hofmiller, der als Chemiker den analytischen Geist der Naturwissenschaft vertritt, Klarheit über die eigene Natur zu gewinnen, nur um so größere Verwirrung. Franziska ist bereit, „sich den Hexentanz diktieren zu lassen“ (ebd), und steht dem Wirken des Veit Kunz offen. Dieser Mephisto steht nicht mehr unter dem Zeichen einer, wenn auch dunklen, so doch realen Kraft wie bei Goethe. Der triviale Name Kunz, eine Verballhornung von Kunst, weist ihm lediglich den Bereich des Scheinhaften, künstlich Manipulierten zu. Seine Maxime „Die Kunst [...] überspringt jeden Abgrund. Dazu ist sie Kunst. Sonst wäre sie Blödsinn“ (VI, 119) weist auf sein Scheitern an den Abgründen, die er künstlich überbrücken will, voraus: Ihm mißrät die Reform der Gesellschaft, und er ist machtlos gegenüber der entfesselten Franziska. Wegen ihrer Unwirksamkeit gegenüber Sexualität und Gesellschaft denunziert Wedekind das Scheinhafte der Kunst als Lüge, ohne Rücksicht auf das, was sie vermittelt als Aufklärung zu leisten vermöchte. Sprach Wedekind dem Marquis von Keith als der Verkörperung des élan vital das Lebensrecht nicht ab, so liegt über dem Abenteurer des Spätwerks das Odium des Literaten, der nirgends heimisch ist.

In dem Dialog, der zum Vertrag (VI, 171) zwischen Veit Kunz und Franziska führt, bleibt es offen, ob der Wunsch Franziskas, sich in einen Mann zu verwandeln, von ihr ausgeht, oder ob Kunz sie dazu angeregt hat. Sie verlangt, nachdem ihr Forderungen freigestellt sind, nur „Freiheit und Lebensgenuß“ (VI, 119); erst Veit Kunz öffnet mit seiner Frage: „Sind Sie denn etwa so unvernünftig, ein Mann sein zu wollen?“ (ebd) den Blick für die Verlockung, in Freiheit den „Wettkampf mit Männern“ (ebd) zu gewinnen. Als Kunz nicht weiter auf die Verwandlung eingeht und sie lediglich zur Sängerin ausbilden

---

[26] Die erste Fassung hat nach dem Ausruf „Diese Überrumpelung!“ noch den Satz „Wie konnte ich mir einen Augenblick einbilden, darüber hinaus zu sein!“ (Franziska, Ein modernes Mysterium. München 1912, S. 28).

möchte, besteht Franziska trotz seiner Warnung darauf, Mann zu werden. (VI, 121) Wedekind läßt diese Frage in der Schwebe, um das Ausmaß der Verblendung Franziskas darzutun, ohne die Möglichkeit der Rettung zu vereiteln, die – da die höhere Instanz des Goethischen Faust nicht mehr darstellbar ist – nur von der Heldin selbst, ihrer Mutterschaft, kommen kann. Der Schluß des Dramas aber, das Familienidyll, nimmt den Wunsch, Mann zu werden, der die Naturordnung außer Kraft setzen will, gänzlich zurück, so daß der Freiheitsanspruch der Heldin als mephistophelische Einflüsterung abgetan wird. Damit hebt sich die Notwendigkeit dieses Paktes auf. Hatte Fausts Wette ihre Notwendigkeit darin, daß sie ihn nach Goethes Worten zum „Lebens-Genuß der Person" hinführt, von der Abstraktheit „idealen Strebens"[27] befreit, die Erfahrung und Veränderung der Welt vorbereitet, so erweist sich Franziskas Wandlung, die ihr Freiheit und Überlegenheit des Mannes erbringen sollte, nur als Abweg, der sie von ihrer Bestimmung, der Bereitschaft, Mutter zu werden, wegführt.

Der zweite Akt des »Mysteriums« entspricht der Gretchenhandlung des Faust. Über die äußerliche, nur stoffliche Beziehung hinaus, mit deren Konstatierung sich Artur Kutscher und Alfons Kujat begnügen,[28] ist es bemerkenswert, wie Wedekind hier die Anklage, die sich in der Gretchenhandlung gegen die Herrschaft des Mannes ausspricht, zeitgemäß zu erneuern und den kritischen Gehalt dadurch zu bewahren sucht, daß er das Schicksal der unehelichen Mutter, der Kindsmörderin, in das der kinderlosen Ehefrau verkehrt. Sophie, Franziskas Frau, ist nicht Opfer der Liebe wie Gretchen, sondern sie geht an der Ehe zugrunde, welche für die Heldin Goethes die Lösung bedeutet hätte. Sophie, die vorher selbstbewußt den Geliebten nur für „einen mittelmäßigen Menschen" (VI, 138) hielt, der nur durch sie und allein für sie zum „Abgott" (ebd) wurde, wird sich in der Ehe ihrer „Minderwertigkeit [...] bewußt" (ebd) und glaubt den Gatten „himmelhoch" (ebd) über sich. Ihr Neid auf Nebenbuhlerinnen, die sie glücklicher wähnt, hindert sie daran, den wahren Sachverhalt zu durchschauen und eine Ehe zu lösen, die ihr nur Qual bereitet. (vgl. VI, 151)

Wedekind stellt Gretchen, dem Opfer, das Leidenschaft zum Verzicht auf Moral zwingt, in Sophie die liebende Ehefrau entgegen, der erotisches Glück versagt ist und nur der Stolz auf die Selbstlosigkeit ihres Gefühls bleibt. (VI, 142) War Gretchen der Natur, der des Mannes und ihrer eigenen, preisgegeben, so wird Sophie der zivilisatorische Triebverzicht zum Verhängnis,

[27] W. A. Bd. 14, S. 287.
[28] vgl. Kutscher, Bd. III, S. 125 und Kujat, Die späten Dramen, S. 56f. und S. 79.

der sie ihrer Natur völlig entfremdet. Während Faust sich jedoch unwillkürlich in Schuld verstrickt, treibt Franziska mit Sophie ein „mutwilliges Spiel" (VI, 151), so daß ihr Vergehen soviel größer erscheint, wie es durch seine Willkür an Notwendigkeit für die Entwicklung der Heldin einbüßt. Die Eheepisode läuft auf die sarkastische antiemanzipatorische Pointe hinaus, daß Franziska schwanger ist, als sie die Rechte des Mannes ausüben will. Die patriarchalische Weisheit des Franz Eberhardt „Das Weib kann nun einmal über die Grenzen / der Naturbestimmung sein Glück nicht ergänzen" (VI, 139) bewährt Wedekind gnadenlos an seiner Heldin.

Dritter und vierter Akt des »Mysteriums« verhalten sich antithetisch zueinander; in ihnen polarisiert sich das Zwitterwesen der Heldin. Als Genius und „Wahrheit" verkörpert Franziska „männliche" Spiritualität, als Helena hingegen, die den Zug der Mänaden anführt, verwandelt sie sich in unbändige Natur. Ihre scheinhafte Affinität zum Geistigen und die wirkliche Nähe zur entfesselten Natur bilden den gedanklichen Hintergrund in dem verwirrenden Mummenschanz dieser beiden Akte. Wedekind erblickt jedoch in den Extremen von Geist und Natur, die früher unter lebensphilosophischem Aspekt Geltung besaßen, nur mehr Verirrungen, aus denen die Heldin in der Ehe des fünften Aktes glücklich herausfindet.

Da Wedekind die Franziska-Figur aufs Private beschränkt, wird sie im dritten Akt, der nach dem klassischen Vorbild in den öffentlichen Bereich von Staat und Politik führt, zur Nebenperson, die der „Staatsaktion" (VI, 171) verständnislos gegenübersteht. Sie handelt auf Anweisung Veits, ohne seinen Plan zu begreifen. Diese Konzeption eines weiblichen Faust ist so eng, daß die Heldin lediglich passiv an der Handlung am herzoglichen Hofe teilnehmen, an dem Streben nach allgemeiner Emanzipation nicht selbständig mitwirken kann.

Wie im »Faust« der Kaiser, von Aufruhr bedroht, sich Mephistos bedient, so ruft der Herzog, durch eine „Gärung im Volk" (VI, 153) gefährdet, nach Veit Kunz. Er soll mit Franz Eberhardt, seinem „Elfen" (ebd)[29] kommen, dessen „Kunststücke die Bestien einlullen" (ebd). Sensationslust, genährt von der Zwitterhaftigkeit des Elfen, soll von politischen Zielen ablenken und der Erhaltung der Herrschaft dienen. Hilfe von Veit jedoch ist nicht ungefährlich,

[29] Die erste Fassung und die letzter Hand haben „Eberhardt" statt des „Ehrhardt" in der Gesamtausgabe. Wenn man von der Möglichkeit eines Druckfehlers absieht, spiegeln sich in den Namen verschiedene Grade der Verwandlung Franziskas. Eberhardt, ihr alter Familienname, deutet darauf hin, daß Franziska auch als „Mann" ihre Vergangenheit nicht abzutun vermochte, während Ehrhardt für eine Wandlung steht, in der die Herkunft aufgehoben wurde.

da er den Herzog als Werkzeug einer „erotischen Reformation“[30] benutzen will, die dessen Stellung noch weiter erschwert. Das Programm der „Wiedervereinigung von Heiligkeit und Schönheit“ vertrat in »Zensur« der Schriftsteller Buridan; hielt Wedekind in diesem Werk an der Versöhnung noch als Utopie fest, so erscheint das Programm jetzt unter dem negativen Aspekt, daß es die Mephistopheles-Figur dieses Dramas inspiriert, Veit Kunz seine Verwirklichung erstrebt.

Anders als der schwächliche Herzog, der auf politische Ziele verzichtet hat und sich in der Öffentlichkeit mit der aristokratischen Freude an der Selbstdarstellung begnügt – er tritt in seinem Festspiel als Heiliger Georg auf, seine Geliebte nackt als Allegorie der Schönheit –, will Veit Kunz die Reform praktisch verwirklichen. Während der Herzog nur insoweit politisch tätig ist, als er glaubt, mit dem Festspiel vom Politischen ablenken zu können, genügt Kunz schon der Umstand, daß er zur Theaterinszenierung gebraucht wird, für den Versuch, in die Geschicke des Landes einzugreifen.[31] Der Dekadenzideologie folgend, die vor allem der Aristokratie galt und den Ästhetizismus ihrer Herrschaft gegenüber der Roheit der Demokratie lobend hervorhob, zeigt Wedekind den Herzog, wie vormals König Nicolo, als Opfer seiner höheren amoralischen Kultur, das die Tücke des Klerus im Bunde mit der Dummheit der Bürger zur Tatenlosigkeit verdammt.

Kunz' letztes Mittel, den Herzog dennoch für seine Pläne zu gewinnen, ist der Hinweis auf den Genius. So erscheint Franziska als Schutzgeist des Herzogs und als Teil seines Selbst.[32] Aus dem Jenseits, dem Empirischen enthoben mahnt der Genius den Herrscher, sich an der „Wahrheit“ (VI, 170) zu orientieren und von ihr her sein Verhalten den Menschen gegenüber zu bestimmen. Vermeintlich schonende Menschenliebe schade nur, da die scheinbar menschenfreundliche Entfernung von der Wahrheit sie immer furchtbarer werden lasse und nur durch den Rückfall in einen neuen inhumanen Aberglauben zu ertragen sei. Dem Herzog widerstrebt es aber selbst im privaten

[30] Franziska, Ein modernes Mysterium in neun Bildern. München 1914, S. 88. Ausgabe letzter Hand, im weiteren zitiert als Bühnenausgabe.

[31] Ohne auf den herzlichen Empfang zu achten und die Freude des Herzogs zu erwidern, verweist er darauf, daß eine Balletteuse statt eines Engels auf der Kanzelbrüstung für Kirche und Theater gleich förderlich wäre (vgl. Bühnenausgabe, S. 87). Als kurz danach der Herzog ins Private überleiten will und über die unverhoffte Rückkehr seiner Gemahlin klagt, fährt Kunz ungerührt fort: „Die erotische Reformation gewinnt jeden Tag an Boden. Unser Volk geht allen Völkern im großen Aberglaubenskrieg voran.“ (Bühnenausgabe, S. 88).

[32] Auf den Befehl des Herzogs „Nenn' deinen Namen!“ antwortet Franziska: „Dein eigener Name!“ (Bühnenausgabe, S. 109).

Bereich, seine Handlungen nach dem für wahr Gehaltenen zu richten (VI, 168); anstatt als Schöpfergeist zur Tat, zur Verwirklichung einer neuen Sittlichkeit zu ermuntern, dient der Genius nur zu einer weiteren angenehmen ,,Zerstreuung"[33].

Die Franziska-Figur selbst erfährt durch die Vermummung, deren Bedeutung dadurch betont wird, daß sie beim ersten Auftritt der Heldin in diesem Akt stattfindet, eine Projektion ins Klassische. Goethes Mignon, auf deren Lied sich der Genius beruft (vgl. VI, 168), präfiguriert das, was an Franziska geistig ist. In der Spiegelung des Genius, der wie Mignon Männliches und Weibliches in sich vereint, wird an ihrem Emanzipationsstreben ein utopisches Moment sichtbar: Erlösung von der Natur durch Aufhebung des Geschlechts. Verzicht und Askese sind jedoch noch ebenso Preis dieses jenseitigen Friedens wie früher, als Moritz Stiefel und Ernst Scholz ins Nirwana lockten. Nur die scheinhafte Existenz, das Geschlechtslose des Genius, gewährt ,,Wunschlosigkeit" (ebd) und überwindet den Willen zum Leben.

Im Gegensatz zur späteren Helena-Rolle, mit der Franziska eins wird, bleibt ihr die des Genius so fremd, daß sie in dieser Vermummung nur ,,ungeheuerlichen Unfug" (VI, 171) erblickt. Die Identität mit dem Genius ist so künstlich wie ihre Männlichkeit, die ihr Veit Kunz verschaffte. Ihre unselbständige, nur im Scheinhaften sich darstellende Beziehung zur Sphäre des Geistes tritt verschärft hervor, wenn man ihr Mitwirken am Festspiel, wo sie die ,,Wahrheit" als Schwester der natürlichen ,,Schönheit" verkörpert, mit dem wilden Taumel vergleicht, den sie spontan als Anführerin der Mänaden entfesselt. Eigenständigkeit und Überlegenheit gestattet Wedekind der Heldin nur im Sexuellen.

Im vierten Akt, dem die Helena-Szenen des »Faust« entsprechen, tritt Franziska, abgesehen von der kurzen Szene auf der Schloßtreppe, zwar in den Kostümen des Mysterienspiels auf, begnügt sich aber nicht damit, die Rolle, die Veit Kunz ihr zudachte, zu spielen. Legten die Vermummungen des Genius und der Wahrheit polemisch den Abstand von Franziskas Sein und dem Anspruch dieser Rollen bloß, so bietet ihr Mitwirken am Mysterienspiel den Anlaß, ihre chaotische Natur zu entbinden. Im kurzen Gewand der zehnjährigen Helena reizt sie Breitenbach (VI, 189); der kindlichen Helena gleich, die bei Theseus die erste Lust fand, erfährt Franziska zum ersten Mal, daß ihr ,,vollständig die Sinne schwanden" (VI, 188). Anstatt zur Entfremdung führt die Identität mit Helena zu Erfahrung und Lebenssteigerung. Dort, wo sie sich scheinbar unterordnet, während der Probe des Dialogs Christus-Helena, löst sich Fran-

[33] Bühnenausgabe, S. 109.

ziska von der Bevormundung. Bei den Worten: „Dann wandle ich gleichberechtigt dir zur Seite“, läßt sie es an „innerer Wärme“ (VI, 198) fehlen; als Veit sie herablassend korrigiert, tritt Breitenbach zwischen die beiden und deklamiert den Satz so übertrieben, daß Franziska in heftiges Lachen ausbricht und Kunz seine Niederlage erkennt. Gegenüber dem Erlebnis des Sexus sind Veits Pläne und Möglichkeiten lächerlich. Kunz wird die Künstlichkeit seines Wesens zum Verhängnis, das über entfesselte Natur nichts vermag. Wie in der Theatergarderobenszene des »Erdgeist« Lulus Macht aufs höchste gesteigert hervortritt und Dr. Schön ihr nicht mehr gewachsen ist, als er Lulu demütigen will, so unterliegt Veit Kunz, der sich vermißt, den Christus zu spielen, ohne den es für Helena keine Erlösung geben soll. Im Augenblick ihrer Befreiung sprengt sie das Mysterium von Christi Fahrt in die Unterwelt und verwandelt den Chor der unerlösten Schatten in einen Zug bacchantischer Mänaden, die aus eigener Kraft (VI, 201)[34] zur Oberwelt dringen.

Der fünfte Akt nimmt selbst diese Teilemanzipation ins Naturhafte zurück und entwirft das Idyll eines gesicherten Familienlebens. Selbst wenn man, um die Positivität des Schlusses zu retten, die Landgewinnung Fausts und seine Himmelfahrt, ohne die Veränderung des geschichtsphilosophischen Ortes zu berücksichtigen, als Vorbilder für Franziskas Bejahung von Kind und Ehe, ihre sakrale Stilisierung zur Madonna (vgl. VI, 214) anführt, so bestätigt sich nur die Regressivität dieses Ausgangs. Verlieh Goethe mit der Himmelfahrt Faust und seinem Prinzip gerade die Dauer, so wird Franziskas Emanzipationsstreben als Illusion widerlegt und durch das Glück in der Beschränkung ersetzt: Statt weiter autonom „Neues zu begehren“, soll sie dem Schicksal für seine Gaben danken (vgl. VI. 217). Anders als früher, da das Kind für Ursprünglichkeit einstand, fällt es jetzt dem kleinen Veitralf zu, die Affirmation der Erwachsenen noch zu bekräftigen. Er jubelt Almer entgegen, Franziska spricht ihn an, um sich von ihm die Erfahrung Gottes bestätigen zu lassen, Almer wiederum, um die falschen Ansprüche der Menschen abzutun und die Beschränkung zu preisen (vgl. VI, 216f.). Die Fragen an das Kind sind rhetorisch, und es bleibt bei dem idyllischen Ausklang offen, wovon und wozu Veitralf einst noch – in der Nachfolge Franziskas – die Welt zu befreien hätte. Der Ausgang des »Mysteriums« ist in seiner Positivität so falsch, daß er von Paul Fechter zwar in Verkennung der Absicht des Autors,[35] aber nicht zu Unrecht als „der bitterste Hohngesang Wedekinds auf den Glauben an die

[34] Der Chor, der den Helena-Akt des »Faust« beschließt, ist Vorbild dieses Ausbruchs.
[35] Wedekind hat der Kritik am glücklichen Ausgang in der Bühnenausgabe durch einen Zusatz zu begegnen versucht. Franziska spricht nun die Verse: „Das Heer der

Entwicklungsmöglichkeiten der Frau"[36] verstanden wurde. Es ist jedoch verfehlt, Franziskas Familienglück ohne inneren Zusammenhang mit der Gesamtkonzeption zu sehen, als habe Wedekind – wie es nicht nur Fechter annimmt – die Entwicklung seiner Heldin willkürlich abgeschnitten. Schon das Vorbild des „Faust", das Wedekinds Orientierung an vorgegebenen Helden einleitet, legt die glückliche Wendung des Schlusses nahe. Sodann durchzieht das Motiv des „Familienelends" – vom Gespräch Mutter und Tochter im bürgerlichen Bereich, der Erzählung Gespensterschrecks in der Halbwelt von Wegeners Keller (VI, 122f.)[37] bis zur Klage des Herzogs über seine Gemahlin in der großen Welt (VI, 167); alle Szenen Franziska-Kunz und damit die eigentliche Faustinen-Mephistohandlung – sämtliche Akte als Dissonanz, die zur Lösung im Familienglück hindrängt. Durch den großen Raum, den vorher das „Familienelend" einnahm, soll die Familiengründung paradigmatisch für die Heilung der Gesellschaft durch familiäre Liebe werden.
Diesen problematischen Abschluß erreicht Wedekind dadurch, daß er die Heldin vom Psychologischen aus individualisiert, sie zugleich aber durch die Anlehnung an das Kanonische eines klassischen Werkes vor dem Schicksal der Privatisierung zu bewahren und ihre allgemeinere Bedeutung zu retten sucht: Individualisierung soll die Eigenständigkeit der Figur erweisen, heldische Überhöhung den Handlungen prägende Kraft beglaubigen. Über das »Franziska«-Drama hinaus ist diese neue scheinbare Geschlossenheit, die mit Hilfe willensstarker Heldenfiguren, den „ungebrochenen Vollnaturen", durchgesetzt wird, gegenüber den offenen zwiespältigen Schlüssen von »Frühlings Erwachen«, der Lulu-Dramen und des »Marquis von Keith« für das Spätwerk charakteristisch. Die neuen Helden sind die Garanten des krönenden Abschlusses, der sich in »Franziska« und »Herakles« unter utopischem Zeichen oder dem der Katastrophe, mit der Simson seinen Untergang feiert, vollzieht und mit solcher Überspannung die innere Hohlheit dieser Dramatik in peinlicher Weise freilegt.

Heldentum der Vernichtung: »Simson«

Während in »Franziska« das psychologisierende Motiv des Familienelends die Begründung des »Mysteriums« durch den Fauststoff, die eigentliche Fabel,

---

Kunstphilister knirscht empört, / Wenn ich mir noch ein glücklich Los gestalte, / Wenn ich von Tragik unversehrt / Trotz allem, was geschehen ist, recht behalte." (Bühnenausgabe, S. 179).

[36] Frank Wedekind, S. 140.

[37] Die Erzählung Gespensterschrecks enthält Teile aus der Handlung von »Der Wärwolf«, ein Dramenfragment, das eine moderne King Lear-Tragödie entwirft.

nicht überwucherte, weist in dem folgenden Werk, dem dramatischen Gedicht »Simson« (1914), gleich der Untertitel „Scham und Eifersucht" darauf, wie lose die Gestalt des Helden hier eine psychologische Problematik einhüllt. Wedekind benutzt die Geschichte des alttestamentlichen Helden, um die Dialektik von barbarischer Schamlosigkeit und schamhafter Innerlichkeit zu entfalten, und nimmt mit dieser Problemstellung die „Vorführung einer Seele" (VII, 187), das Thema seines letzten Dramas »Herakles«, vorweg.
Im Überschwang des Glücks tritt Simson auf; allein sein Ruf versetzte die Philisterfürsten in panischen Schrecken und erwies noch vor seinem Erscheinen die Machtfülle des Helden. Dem langen Haar als Attribut unbändiger Kraft fügt Wedekind – er scheint darin an die hebräische Bedeutung des Namens Simson „Sonnenmann" anzuknüpfen – das Symbol „hellstrahlender Augen" (VI, 233) hinzu, das die Spontaneität des Helden bezeichnen soll. Wie „ein feuriges Gespann umjagen" (VI, 234) sie ihr Objekt, das sie zugleich bewahren: die erschlagene Frau lebt in ihnen fort (ebd). Simson besitzt nicht nur rohe Kraft, seine Augen sind Symbol der Erfahrung und Ort der Erinnerung, die eine neue Gegenwart erstehen läßt. Und doch findet die Willkür Simsons ihre Grenze: Wie deutlich ihm die herrliche Frau vor Augen steht, er verfügt nur über eine Tote so frei; bei Delila nützt ihm die Gewalt nichts, sie soll ihm „hold" (VI, 241) sein. Sie, die sich nur zum Schein unterordnete, macht ihr Einverständnis zur Waffe und beruft sich auf ihre Liebe, die den „triftigsten Beweis" (VI, 238) der Gegenliebe verlange. Ihr hartnäckiges „Du liebst micht nicht!" (VI, 238, 241, 242) wiederholt jene Klage, durch die schon der Maler Schwarz sich Lulus bemächtigen wollte (III, 28). Wie der kleinbürgerliche Maler sieht Delila Liebe als Tauschverhältnis: Liebe kann Gegenliebe wie eine Schuld einfordern. Für die Hingabe der Frau gibt Simson sein Geheimnis preis und liefert sich ihr aus. Den Verlust seiner Unabhängigkeit sucht er dadurch zu überspielen, daß er ihre Vereinigung zur Hochzeitsfeier (VI, 242) erklärt. Er, der sich selbstherrlich nicht darum „scherte, wie und was und wo Delila fühlte" (VI, 241), sucht sich nun ihrer durch seine Bindung zu versichern. Diese „Eheschließung" indes nimmt nur die Blendung vorweg, mit der die eifersüchtige Delila das Bild ihrer Nebenbuhlerin auslöscht (VI, 255) und Simson, seiner Freiheit beraubt, zu ihrem Besitz macht.
Wedekind, der die Ehe in »Schloß Wetterstein« noch als wesentlich patriarchalische Einrichtung erkannte, sucht sie jetzt als Preis der Leidenschaft, den auch der Stärkste entrichten muß, plausibel zu machen und klagt die Frau der Herrschaft und der Ausbeutung des Mannes an. So reiht sich seine Delila

bruchlos in die alte frauenfeindliche Tradition dieser Gestalt ein; sie erhält lediglich noch eine psychologische Begründung ihres Verhaltens, die auch ihr Individualität zusichern soll. Delila hat keinen dunklen Ursprung wie Lulu, an dessen Stelle tritt der im Spätwerk so wichtige Bezug aufs Vaterhaus. „In Freiheit aufgezogen / Vom Vater, der in allen Künsten Meister" hat sie gelernt, „dem Feind / Zu schmeicheln, bis sein Allerinnerstes / Er preisgegeben, ihn mit solcher Kenntnis / [...] wie einen willenlosen / Popanz zu lenken." (VI, 230f.) Die Dialektik der Knechtschaft, der gerade der mächtige Feind unterliegt, ist erlerntes, nicht instinkthaft genutztes Herrschaftsmittel. Eine besondere Zuspitzung gibt Wedekind dieser Figur durch seinen Versuch, Eifersucht als neues Motiv einzuführen[38]: Delila liebt Simson mit der Eifersucht einer Bürgerin, die ihren Mann „blendet", um ihn desto sicherer zu besitzen.

Der erste Auftritt des zweiten Aktes wirkt wie eine Vorwegnahme von Brechts „Demontage" in dem Lustspiel »Mann ist Mann«. Wedekind läßt den geblendeten Simson Gefühle und Wünsche einer Frau äußern, um die weibliche Psyche nicht länger durch „physiologischen Schwachsinn" zu erklären. Die Verwandlung des starken Mannes demonstriert das vermeintlich Weibliche als Folge von Unterdrückung. Simson entgegnet Delila, die ihm zu schmeicheln glaubt, als sie ihn – analog zum patriarchalischen Luxusgeschöpf – ihren „köstlichsten Besitz" (VI, 261) nennt:

> Durch meine Blindheit sind wir so vertauscht,
> Daß ich das Weib bin, und daß du der Mann bist.
> Blind weiß ich nicht, wie ich auf andre wirke.
> Drum brauch' ich Liebe, brauch' Geborgenheit.
> Was Millionen Weiber schweigend leiden,
> Das leid' ich jetzt. Ich schäme mich, Delila,
> Wie in der Ehe nur das Weib sich schämt,
> Unsicher seines Glücks, bei andern Männern. (ebd)

Wie eine Frau, die von der Zuneigung ihres Gatten abhängt, dem noch die Freiheit bleibt, sich in der Eroberung anderer Frauen zu bestätigen, ist Simson auf Delila angewiesen. Während sie „alles weithin überschaut" (ebd) und „wichtige Staatsgeschäfte [...] zu besprechen" (VI, 258) hat, muß Simson Hausarbeit verrichten. Als er sich in freier Natur glaubt und „Himmel,

---

[38] Weil Delila von Beginn an Simson verderben will, noch bevor er durch die Erzählung von der anderen Frau ihre Eifersucht reizte, ist diese Motivierung nicht ganz geglückt.

Wolken, Berge und Baumwipfel" (VI, 263 f.) zu sehen meint, schlägt er mit seinem Kopf gegen die Wand der Mühle, die sich im Hause befindet. Sie zu drehen, ist Simson nicht nur aufgezwungen, vielmehr wird das Inhumane dieser Arbeit noch dadurch verschärft, daß sie seine Leiden lindert und ihn Schmerzen vergessen läßt (VI, 259). Sein Gesang, von dem er eigensinnig behauptet, daß er ihn nur für sich ausübe (VI, 251, 262), erinnert an das dilettierende, träumerische Klavierspiel einer unerfüllten Frau. So wäre es denn auch ein „schönerer Trost" für ihn, anstatt zu singen, Kinder zu gebären (VI, 262). „Beinahe glücklich dreht' ich dann / Die Mühle, wenn zur Seit' ein hilflos Kind / In sanftem Schlummer liegt." (ebd) Familie wäre fast schon die Erfüllung des domestizierten Simson. Erst an der Paradoxie des weiblichen Mannes wird Wedekind der Unterdrückung der Frau gerecht, die vorher bei der Verurteilung der dirnenhaften Ehefrau unterschlagen wurde; hat doch der geblendete Simson nicht mehr Anspruch auf Delila als sie vorher auf ihn.

Das Motiv der Augen und ihrer Blendung drückte die Dialektik von Schamhaftigkeit und Innerlichkeit, die sich in der Beziehung von Simson und Delila widerspiegelte, noch in gewissem Grade symbolisch aus; als Wedekind jedoch die Philisterfürsten auftreten läßt, um über Simsons Problematik hinaus den sozialen Aspekt von Triebversagung sichtbar zu machen, verliert er sich in diskursivem, abstraktem Dialog. König Og von Basan sieht durch die öffentliche Hingabe Delilas sein Ansehen, die Vorstellung von seiner „Unbescholtenheit" (VI, 267), die „im Herzen des Philisters festgewurzelt ist" (ebd), gefährdet. Ihm, dem Herrscher, ist nur eheliche Liebe gemäß, welche die „Dunkelheit der Nacht" (VI, 268) vor dem Neid der Beherrschten schützt.

> Warum verbirgt die Herrschaft ihre Liebe
> Vor Knechten? Weil der Knecht ein Mensch ist wie
> Der Herr, und weil der Knecht den Herrn erschlägt,
> Der ihm sein Weib als saftigen Bissen vorführt.
> Nur Ordnung macht uns den Besitz erfreulich,
> Des Glücks Versicherung heißt Sittlichkeit. (ebd)

Og leidet unter dieser verschämten Beschränkung seiner Triebe, die ein Preis für seine Herrschaft ist, und fühlt sich zum „Sklaven seines Schamgefühls entwürdigt". (VI, 269) Eifersüchtig auf Simson glaubt er sich dessen „nackten Menschenwert" (ebd), dem die Zuneigung Delilas gelte, unterlegen und fordert seinen Tod. Als Vorwegnahme ihres späteren Anschlags versuchen die Philisterfürsten Jetur, Azav und Gadias die gemeinsame Teilnahme an der

orgiastischen Schaustellung, die Delila ihnen mit Simson bot, gegen die Vorherrschafts Ogs zu benutzen. Den Abstand zwischen König und Fürsten, der sich – wie Og es voraussah – durch dieses Ereignis verringerte, soll ihr neuer Kult der Promiskuität beseitigen: Delila, seiner Prophetin, sollen alle untertan sein. Der fürstliche Rat, der „ihr bestimmt, was als Prophetin sie / Zu sprechen hat und wann sie schweigen soll" (VI, 275), erscheint ihnen als Mittel, die alte aristokratische Teilung der Macht wiederherzustellen. Ihre scheinbare Verehrung für Delila nehmen sie zum Anlaß, für sich das Recht zu beanspruchen, Land zu verleihen; sie übertragen Delila als „großes Volksgeschenk" (ebd) Ländereien. Es ist die Schuld der Beschränkung auf den Helden, wenn diese Szenen, welche die Verbindung von politischer Herrschaft und Sexualität enthüllen, Episode bleiben, wenn sie nur als philiströser Widerpart das Schicksal des großen Einzelnen kontrastieren.
Auf seinem Weg in den Heldentod büßt Simson auch seine letzte Illusion ein, den Stolz auf seinen Gesang. Obgleich Simsons Gesang Ersatz der Freiheit ist, erst in Delilas Haus „aus seiner Blindheit entquoll" (VI, 279), glaubt er, durch ihn selbst den König zwingen zu können (VI, 281). In Wahrheit jedoch singt er auf Delilas Geheiß. Sie will über Og und seine entschiedene Weigerung, ihren Leib zu berühren, solange Simson lebt, den Sieg davontragen; das Lied vom Krieger soll ihr den Anlaß zur Verführung geben, die den Willen des Königs bricht. Simson, der sein Lied mit der Autorität des Sehers beginnt und es in einer forcierten Fröhlichkeit, die an den tanzenden Zarathustra und seine lachenden Wahrheiten gemahnt, beendet, muß erkennen, daß er selbst es ist, der bei seinem überheblichen „Spott auf Narrheit" (VI, 291) genarrt wurde. Wedekind widerlegt selbst die Bedeutung, die er im Spätwerk der Familienproblematik beimißt. Simsons Lied, das die Sinnlosigkeit des Lebens als Kreislauf von schlimmer Kindheit, hoffnungsvollem Aufbruch in die Welt, von leidenschaftlicher Liebe und unfreier Ehe, der wieder schlimme Kindheit entspringt, erfassen soll, erweist sich vor der Realität als „Narrheit und Betrug" (ebd), es verfehlt das „Scheusal" Welt (ebd).
Äußerstes Leiden jedoch soll Simson wieder zum „Gottgeweihten" erheben: Er dankt Gott, „daß mich Zerbrochnen, / Mich ganz Unwürdigen, deiner Macht zum Opfer / Du weihtest!" (VI, 292) Wedekind unternimmt es wie am Ende des ersten Aktes, der die Blendung in Selbsterkenntnis umkehrte, auch der leidvollsten Erfahrung einen Sinn zu geben, der sie rechtfertigen könnte. Daß Simson leiden muß, nur um Rache an den Philistern zu nehmen, läßt seinen Untergang, der sich eng an den Text der Lutherschen Bibelübersetzung anlehnt, um so furchtbarer erscheinen. Als Opfer Gottes, „zu Grö-

ßerem geweiht“ (VI, 291), soll er seine Erhebung darin finden, in höherem Auftrag zu töten. Simson erfüllt sich in einem Heldentum der Vernichtung. Endete Franziska im Idyll, das ihr Freiheits- und Glücksstreben eher negierte als aufhob, so erscheint Simsons Tat, obwohl sie sich auf ein Allgemeines, die Philister in ihrer Gesamtheit bezieht, nicht weniger fragwürdig: Sie überwindet die erbärmliche Welt der Philister nur um den Preis völliger Zerstörung. Die radikale Tat des Helden, die früher durch das Neue, das aus ihr entsprang, legitimiert war, vermag sich nicht mehr als sinnvoller auszuweisen als die Welt, gegen die sie gerichtet ist.
Eine Dramatik, die im zwanzigsten Jahrhundert in *einer* Heldenfigur noch Substantialität repräsentiert, kann – außer durch Flucht in die Versöhnung, mit der Franziska und Herakles enden – diesen Helden nur dadurch zu retten suchen, daß sein Untergang zugleich eine ganze Welt vernichtet. Der den Monumentalfilm vorwegnehmende Weltuntergang soll die Bedingtheit individuellen Handelns, welche die Handlungsfreiheit einer heldischen Kraftgestalt im Drama unerbittlich in Frage stellt, phantasmagorisch überspielen. Sogar sein affirmativstes Werk, das Historienstück »Bismarck« (1916), eine nahezu dokumentarische Dramatisierung des Weges zur deutschen Einheit, überhöht Wedekind mit der angehängten Moral heldischer Selbstvernichtung. Der Sieger Bismarck erklärt bescheiden:

> Um meiner oder um irgendeiner anderen Existenz willen besteht doch die Welt nicht! Der Zweck des Daseins ist die Steigerung der Kraft, zu deren Erhaltung der Kampf mit dem Bösen unentbehrlich ist. (VII, 180)

Gewaltanwendung wird nicht mehr als Mittel gegen das „Böse“ zu rechtfertigen gesucht, vielmehr wird sie als Mittel zur Kraftsteigerung gepriesen. Die unheilvolle Verquickung von Allgemeinem, einer Niederlage Preußens, und heldischem Individuum, dem selbstgesuchten Tod Bismarcks, beendet, wenngleich nur als Möglichkeit, auch dieses Drama. Wedekind pointiert wiederholte Äußerungen Bismarcks, „bei unglücklichem Ausgang der Schlacht würde er sich einer Kavallerieattacke angeschlossen und den Tod gesucht haben“, die Keudell beiläufig überlieferte[39], zur Schlußsentenz. Der Bayerische Premierminister erhält die strafende Antwort:

> Allerdings kann ich mich nicht in Eure Lage versetzen, da ich ein Unterliegen Preußens in diesem Kriege nicht überlebt hätte. Wäre eine für uns unglückliche Schlacht vor Berlin geschlagen worden, ich wäre nicht daraus zurückgekehrt. (ebd)

[39] Fürst und Fürstin Bismarck, S. 292.

Bei dem modernen Politiker besteht Wedekind nicht weniger als bei Simson auf der restlosen Identifikation des Helden mit dem Untergang des Allgemeinen.

Der Unverstandene: »Herakles«

»Herakles« (1917) ist Wedekinds letztes Drama. Nichts kann den Abstand zu seinen früheren Werken augenfälliger machen als der Vergleich des Prologs mit dem des »Erdgeist«. Hatte einst der Dichter als Tierbändiger mit Peitsche und Pistole das Wort, so steigt jetzt der Götterbote Hermes nieder.

> Der Götterbote, der die Seelen leitet,
> Heißt eure Seelen, wenn sie's sind, willkommen.
> Er kommt, euch eine Seele vorzuführen,
> Die des Geschickes weitste Spur durchmaß.
> Was er an Taten tat, der Gottbegabte,
> Der Hohnbeladene, bleibt abgetan.
> [...] – seid ohne Furcht,
> Kein Tier beleidigt euren klugen Sinn. [...]
> Nur das führ' ich euch vor: Ein Menschenschicksal. (VII, 187 f.)

Während der Tierbändiger sich dem „Raubtier" Publikum auslieferte, das mit „heißer Wollust und mit kaltem Grauen" (III, 7) dem Schauspiel beiwohnte, heißt Hermes „Seelen" willkommen. Das Wort Seele, das hier – im Bezug auf Hermes' Seelenamt, die Verinnerlichung der Zuschauer und die Innerlichkeit des Helden – dreimal vorkommt, erscheint im Erdgeist-Prolog nur in dem Ausruf „meiner Seel'", der sich auf „Kamel" (III, 9) reimt. Versprach der Tierbändiger statt der „Haustiere" Ibsens und Hauptmanns „das wahre, das wilde, schöne Tier", so wird das Tier hier ausdrücklich von der Szene verbannt und macht der Präsentierung einer Seele, eines Menschenschicksals Platz. Innerlichkeit wird zum Programm;[40] die Absage an die Verherrlichung des Tier- und Instinkthaften, die das Spätwerk durchzieht, wird in »Herakles« zur Apotheose des um Humanität ringenden Helden übersteigert.

Wedekind beschränkt sich nicht, wie die antiken Dramatiker, auf die eine Situation der Heimkehr des Helden, sondern reiht elf Szenen aneinander,

[40] Was über die vom Programm des wahren, wilden, schönen Tiers abweichenden Züge der Lulu-Figur gesagt wurde, gilt mutatis mutandis auch von der Seelenhaftigkeit des Herakles.

deren Stationscharakter Überschriften hervorheben. Was Peter Szondi als „Stationentechnik" beschrieben hat, zeigt sich hier zum ersten Mal in Wedekinds Werk. „Die einzelnen Szenen stehen [...] in keinem kausalen Bezug, bringen einander nicht [...] selber hervor. Vielmehr erscheinen sie als isolierte Steine, aufgereiht am Faden des fortschreitenden Ich."[41] Das Stationendrama erweist sich als letzter Auswegsversuch der Heldenproblematik des Spätwerks. Wedekind erfüllt jedoch nur formal das Gesetz des Stationendramas, das die heldische Subjektivität entleert, das Gegenteil von Innerlichkeit in den Blick bringt und so die Entindividualisierung geschichtsphilosophisch einholt.[42] Wedekinds Herakles ist nicht der Namenlose des expressionistischen Stationendramas, vielmehr soll die mythologische Beglaubigung dieses Helden der Geschichte seines Leidens und seiner Erlösung Substantialität verbürgen. Nach dem Vorbild des geistlichen Mysterienspiels von Passion und Auferstehung Christi, der ältesten Form des Stationendramas, soll der Weg des Helden gleichsam heilsgeschichtliche Bedeutung erlangen; zugleich aber verstellt die innerliche Problematik des Helden diese Bedeutung seines Passionsweges: Wedekinds Herakles kämpft eher um das Glück seines häuslichen Herdes (VII, 271) als für die Befreiung der Menschheit.

Um seiner Liebe willen duldet Herakles das schmachvolle Unrecht, das der wortbrüchige Eurytos an ihm verübt. Er fordert Jole nicht als Siegesbeute (VII, 193), sondern unterwirft sich dem Willen der Geliebten, die gegen ihn entscheidet (VII, 194 u. 233). Obgleich Wedekind die Ermordung Megaras und seiner Kinder – anders als Euripides – nicht nur mit Wahnsinn, den Hera verhängte, motiviert (VII, 271), sondern auch mit dem unglücklichen Verlauf dieser Ehe entschuldigt, sucht er es nichtsdestoweniger als Herakles' Leid darzutun, daß er der „Menschheit Liebe nicht erkämpfen" (VII, 196) kann. Herakles wird als der unverstanden Liebende vorgeführt, dem die Frau, von der er wirklich betroffen ist, versagt bleibt.

Gelang es ihm, sich vor Eurytos und seiner Tochter zu bezähmen, so wirkt doch seine Rachgier ungestillt fort. Iphitos findet den Tod von seiner Hand, und selbst vor Pythia scheut Herakles nicht zurück, als sie die Heilung der zur Sühne verhängten Krankheit verweigert. Er tritt dem Halbbruder Apollo gleichberechtigt gegenüber und fordert den Gott zum Kampf heraus. Herakles erkennt die „Schranken [...], die vom Herrscher im Himmel den Menschen gesetzt" (VII, 201), nicht an und weigert sich, sein „Los" zu erfüllen (ebd). „Von den Göttern verhöhnt, bei den Menschen verhaßt," (ebd) beruft sich

[41] Szondi, Theorie, S. 47.
[42] vgl. ebd, S. 106ff.

Herakles nicht auf Rechte und Ordnungen, sondern allein auf seine Kraft, die ihm neue Bahn schaffen soll (ebd). Zeus aber verhindert die Entscheidung durch Kampf, der einzigen Möglichkeit des Herakles, sich zu behaupten, und läßt die höchste Instanz, „das blinde Schicksal" (VII, 202) entscheiden. Während Apollo sich gehorsam fügt, weiß Herakles, daß ihm von außen – sei es von den Göttern, sei es vom Schicksal – nur Heteronomie droht: „Daß ich mir endlich selbst zum Schicksal werde / Trotz' ich Gewalten, die mich blind geknechtet [...]. Gutwillig beug' ich nie mich der Verkündigung." (ebd) Wie im Frühwerk Thomas Manns das Aufbegehren des „verirrten Bürgers" ein trübes Gemisch aus Verachtung und heimlicher Liebe für das Bürgertum enthält und nur die mißglückte Anpassung, nicht aber das Bürgertum selbst zum Problem wird, ist Herakles verirrter Gottessohn, der eigentlich in den Olymp gehörte. Wedekind vermag seinem Kampf gegen Apollo keinen Sinn zu verleihen; der Held beharrt lediglich auf seinem Trotz, der dann einer Versöhnung mit Zeus weicht. Als reformistischer Volksfreund kommt Herakles mit dem Stärkeren überein, um den Schwachen zu helfen; diese Übereinkunft führt zur Befreiung des Prometheus, ihm selbst aber verschafft sie die Aufnahme in den Olymp.
Den ersten Akt beendet die Eheschließung, um die Herakles Jole vergeblich bat. Trug seine Liebe zu ihr das Siegel des Unwillkürlichen, so gilt der Kampf mit Acheloos von vornherein dem Besitz Dejaneiras. Herakles, der Jole nicht als Siegesbeute wollte, sagt zur Gemahlin: „Schwer hab' ich, Dejaneira, dich erkämpft"; herrisch verlangt er: „Bleib du bedacht, Ruhm meines Ruhms zu sein!" (VII, 213) Die Verfehltheit dieser Ehe liegt in der Unterwerfung der Frau, die dann so wenig „Heimlichkeit" vor dem Gatten bewahrt, daß sie auch am Hochzeitstag den Weinfleck am Kleid nicht verschweigt (VII, 216f.). Daß Dejaneira, die sich schon glücklich schätzt, weil Herakles ihr nicht seine „Spur" (VII, 220) verwehrt, später dem Liebeszauber des Nessos vertraut, ist Folge der Mißachtung durch den Gatten und ihrer Selbsterniedrigung. Trotz seines autoritären Verhaltens soll es die Schuld der Frau, der Ehe schlechthin sein, wenn Herakles häusliches Glück mißrät. Er ist nicht nur der unverstanden Liebende, sondern – wie schon die Erwähnung Megaras dartat – auch der von unglücklichen Ehen Geplagte.
An der Jole-Szene des zweiten Aktes wird die Stationentechnik des Dramas besonders deutlich, die den Fortgang der Handlung aus der Subjektivität des Helden motiviert. Daß Herakles nach einigen Jahren zur Burg Oechalia zurückkehrt, entspricht zwar der antiken Sage, für das Drama aber erbringt diese Szene nur die erneute Abweisung des Helden. Der Ausbau der mytholo-

gischen Episode wird damit begründet, daß Herakles nach der Enttäuschung durch Dejaneira sein Glück wieder bei Jole sucht. Rache und Gewalt führen ihn nicht weiter als der duldende Verzicht: Jole gibt nicht dem „Mörder und Schänder" (VII, 234), was sie dem Sieger im Wettkampf versagte.

Herakles' größte Tat, die Befreiung des Prometheus, zeugt davon, wie wenig es Wedekind gelungen ist, ihr über die Genugtuung des Helden hinaus, daß er sein „größtes Werk" aus eigenem Antrieb und nicht als Sklave verrichtet (VII, 195, 251), Bedeutung zu verleihen. Zwar berief sich Herakles am Hofe der Omphale auf das jammernde Menschengeschlecht, das der Erlösung des Prometheus harre (VII, 207), aber Jahre vergehen, bis eine plötzliche Erinnerung, die sich aus seiner Absage an die Frauen ergibt, den Aufbruch veranlaßt. Nicht länger den Göttern trotzend, kommt Herakles mit dem Willen des Zeus und als dessen Vermittler zu Prometheus und sucht ihn, den Verächter, des göttlichen Wohlwollens zu versichern. Als der Geier erlegt und Prometheus' Ketten gefallen sind, läßt Wedekind Herakles mit keinem Wort auf die Befreiung selbst, ihre Bedeutung, die sie als sein größtes Werk außerhalb der heldischen Subjektivität haben müßte, eingehen, wodurch seine Tat wirklich Befreiung wäre. Herakles liegt seine letzte Arbeit, die ihm noch auferlegt ist, „zumeist am Herzen", (VII, 243) und er wendet sich mit keinem Wort sonst an den Befreiten. Daß Prometheus unmittelbar vor dem Bogenschuß, der ihn von seinen Qualen erlöst, den Schmerz mit dem Anruf: „Du gewaltiger Förderer, wie stärkst du die Seele," (VII, 242) preist, relativiert die Tat des Herakles zum eudämonistischen Akt. Die Rechtfertigung prometheischen Duldens, das der blinden Aktivität des Herakles gegenübergestellt wird, überschattet durch den Monolog, der sich mit fünfhebigen Daktylen blockartig aus der Szene hervorhebt, die Realisation der Freiheit. So weist die Befreiung nicht in die Zukunft, sondern erscheint harmonistisch in sich vollendet, wenn Prometheus mit den einzigen Endreimversen des Dramas die Szene beschließt.

Den Untergang des Herakles spitzt Wedekind ganz auf die These von der Verderblichkeit der Ehe zu. Der Held, der seinen Frieden mit den Göttern gemacht hat und im Idyll der „blühenden Wiese" (VII, 244) Zeus für „blühendes Erdenglück" (VII, 252) dankt, fällt der eifersüchtigen Liebe Dejaneiras zum Opfer. Das Gift der Hydra bringt ihm nun selbst durch die Hand der Gattin Verderben: In der Ehe wirkt, verborgen in der Pracht eines Festgewandes,[43] das Gift fort, mit dem Herakles inhumane Gewalten besiegte.

[43] Herakles erwartet das Festgewand bevor er das Opferfest beginnt. Er legt es an als Symbol ehelicher Treue (vgl. VII, 251). Bei Sophokles entspricht Herakles lediglich

Die Ehe erweist sich von allen Gefahren als die eine unabwendbare; sie bringt den Tod, weil sie den Kämpfer arglos werden und einem anderen vertrauen läßt als nur sich selbst.

Gegenüber der Poias-Szene, in der Herakles autoritär gegen ihren Willen Hyllos und Jole zur Ehe bestimmte – diese Einrichtung, die ihm nur Unglück brachte, scheint für eine weniger erlesene Nachkommenschaft geeignet – und als „Herr seiner eigenen Vernichtung" (VII, 267) im Sinne eines blinden Voluntarismus den Scheiterhaufen bestieg, erweist sich die Schlußszene als Korrektiv, wenn auch nur durch die Auflösung der partiellen Liebesproblematik. Hera, die Hüterin der Ehe, führt Herakles eine Geliebte zu, die statt Eifersucht „viel Tausend" Mädchen zur „Lust und Liebe" verheißt. (VII, 273) Offenbart auch der Hymnus der Knaben und Mädchen nicht, wodurch sich in Herakles „die Menschheit über die Menschheit hebt" (VII, 274), und mündet dieses Drama ebenso dunkel wie »Simson« und »Bismarck« in den Lobpreis gesteigerter „Kraft", so macht sich doch Wedekind hier von der Verklärung der Ehe, mit der »Franziska« endet, frei und hält, sei's auch in olympischer Höhe, an der Emanzipation des Fleisches fest, für die er ein Leben lang stritt. Sein Werk, das mit dem Exodus des Fünfzehnjährigen, seiner Erfahrung: „Wenn die Weißen Dich mißhandeln, / kannst Du nur zu den Mohren wandeln" (VIII, 18), begann, schließt mit der Rückkehr unter den Schutz eines klassizistischen Himmels.

Für sein eigenes Spätwerk gilt, was Wedekind am Werk des heimlichen Kontrahenten Gerhart Hauptmann hellsichtig erkannte:

> Dein Schaffen war wie Gold so echt,
> Solang du Modekram geschaffen.
> Du gabst dem menschlichen Geschlecht
> Urechten Plunder zu begaffen.
>
> Doch seit ein reineres Idol
> Dein ruhmbedürftig Herz begeistert,
> Wie ward dein Schaffen falsch und hohl,
> Aus eitel Phrasenschwulst gekleistert. (VIII, 168)

Wäre es auch höchst ungerecht, das Wort vom „Modekram", das auf Hauptmanns Naturalismus gemünzt ist, mit dem Frühwerk des poète maudit zu verbinden, so trifft das Streben nach dem „reineren Idol" umsomehr die Heldendramatik des Spätwerks. Der „urechte Plunder", die Schauertragödie der Lulu

---

dem Wunsch Dejaneiras, sich beim Opfer mit dem Gewand zu kleiden (vgl. Die Trachinerinnen, Vers 758).

mit dem Echtheitssiegel der Kolportage, wich hier vermeintlich höheren Gegenständen, deren Bedeutungsschwere von der Autorität ihrer Vorbilder – Goethes, der Bibel, des antiken Mythos und der Geschichte – zehrt. Die Verkennung der Möglichkeit eines großen Dramas im 20. Jahrhundert, der Wedekind wie Hauptmann und andere erlag, nicht minder aber die Überforderung seines dichterischen Vermögens lassen den späten Wedekind hinter den Stoffen zurückbleiben, die sich ihm nur zur monumentalen Phrase verformen.

I. Die Werke Frank Wedekinds

Gesammelte Werke, 9 Bde., München 1912–1921.
Gesammelte Briefe, 2 Bde., München 1924.
Der Erdgeist, Eine Tragödie. Paris–Leipzig–München 1895.
Die Büchse der Pandora. In: Die Insel, Hg. O.J. Bierbaum. Jahrg. III (1902), Heft 10, S. 19–105.
Die Büchse der Pandora, Tragödie in drei Aufzügen. Neubearbeitet und mit einem Vorwort versehen. Berlin (1906).
Lulu, Tragödie in fünf Aufzügen mit einem Prolog. München–Leipzig (1913).
nennt's Lulu, nennt's Pandora, als bliebe das Prinzip nicht immer das gleiche! Die Monstretragödie. Neubearbeitung von Kadidja Wedekind. München 1961/62.
Ein Genußmensch, Schauspiel in vier Aufzügen. Hg. F. Strich. München 1924.
Mine-Haha. In: Die Insel, Hg. O.J. Bierbaum. Jahrg. II (1901), S. 27ff., S. 93ff. und S. 234ff.
Mit allen Hunden gehetzt, Schauspiel in einem Aufzug. München–Leipzig 1910.
Schloß Wetterstein, Schauspiel in drei Akten. München (1912).
Franziska, Ein modernes Mysterium. München 1912.
Franziska, Ein modernes Mysterium in neun Bildern. München 1914.

II. Manuskripte (sämtlich Stadtbibliothek München, Handschriftenabteilung).

Notizbücher 1, 15, 19, 38, 53, 58.
Aennchen Tartini, Die Kunstreiterin. Große Romanze in sieben und sechzig Strophen und einem Prolog, gesetzt und gesungen durch einen alten Leiermann zu München im Jahre des Heils 1887.
Nirwana, Musikdrama in fünf Aufzügen. (Fragment).

III. Werke anderer Dichter

Albert Giraud, Pierrot Lunaire. Deutsch von O.E. Hartleben. Berlin 1893.
Johann Wolfgang Goethe, Weimarer Ausgabe.
Max Halbe, Gesammelte Werke, 6 Bde., München o.J.
–, Jahrhundertwende. Geschichte meines Lebens 1893–1914. Salzburg [2]1942.
Gerhart Hauptmann, Hannele. Traumdichtung in zwei Teilen. Berlin 1894.
Heinrich Heine, Sämtliche Werke. Hg. E. Elster, 7 Bde., Leipzig–Wien o.J.
Hugo v. Hofmannsthal, Gesammelte Werke in Einzelbänden. Hg. H. Steiner. 15 Bde., Frankfurt 1945ff.
Henrik Ibsen, Sämtliche Werke. 14 Bde., Berlin o.J.
Maurice Maeterlinck, Le Trésor des Humbles. Paris 1895.

Heinrich Mann, Flöten und Dolche. München 1905.
–, Briefe an K. Lemke und K. Pinkus, Hg. Dt. Akademie der Künste zu Berlin. Hamburg 1964.
Thomas Mann, Eine Szene von Wedekind. In: Altes und Neues, Kleine Prosa aus fünf Jahrzehnten. Frankfurt 1953, S. 31–38.
Rainer Maria Rilke, Sämtliche Werke. Hg. Rilke-Archiv in Verbindung mit R. Sieber-Rilke, besorgt von E. Zinn. Wiesbaden–Frankfurt a. M. 1955ff.
Friedrich Schiller, Werke. Hg. L. Bellermann. 14 Bde., Leipzig–Wien o. J.
Oscar Wilde, The Works. Hg. G. F. Maine. London–Glasgow 1957.

IV. Sekundärliteratur

Theodor W. Adorno, Minima moralia. Reflexionen aus dem beschädigten Leben. Berlin–Frankfurt 1951.
–, Rede über Alban Bergs Lulu. In: Frankfurter Allgemeine Zeitung, Nr. 15, 19. 1. 1960, S. 12.
Johann Jakob Bachofen, Gesammelte Werke. Mit Unterstützung von H. Fuchs, G. Meyer und K. Schefold hg. von K. Meuli. Basel 1948ff.
Hermann Bahr, Studien zur Kritik der Moderne. Frankfurt a. M. 1894.
Walter Benjamin, Wedekind und Kraus in der Volksbühne. In: Die Literarische Welt, Jahrg. V (1929), Nr. 44, S. 7f.
–, Ursprung des deutschen Trauerspiels. Revidierte Ausgabe. Hg. R. Tiedemann. Frankfurt 1963.
–, Zentralpark. In: Illuminationen. Frankfurt a. M. 1961, S. 246–267.
Jacob Bernays, Zwei Abhandlungen über die Aristotelische Theorie des Dramas. Berlin 1880.
Franz Blei, Marginalien zu Wedekind. In: Das Wedekind-Buch. Hg. und mit einer Monographie von J. Friedenthal. München–Leipzig 1914, S. 128–150.
Michael Georg Conrad, Neue Gleise. In: Die Gesellschaft. Monatsschrift für Literatur, Kunst und Sozialpolitik. Jahrg. VIII (1892), S. 382f.
–, Meister Oelze. In: Die Gesellschaft. Monatsschrift für Literatur, Kunst und Sozialpolitik. Jahrg. VIII (1892), S. 1239.
Claude David, Stefan George und der Jugendstil. In: Formkräfte der deutschen Dichtung vom Barock bis zur Gegenwart. Göttingen 1963, S. 211–228.
Richard Dehmel, Die neue deutsche Alltagstragödie. In: Die Gesellschaft. Monatsschrift für Literatur, Kunst und Sozialpolitik. Jahrg. VIII (1892), S. 475–512.
–, Erklärung. In: Die Gesellschaft. Monatsschrift für Literatur, Kunst und Sozialpolitik. Jahrg. VIII (1892), S. 1473–1475.
Bernhard Diebold, Anarchie im Drama. Frankfurt 1921.
Julius Duboc, Hundert Jahre Zeitgeist in Deutschland. Geschichte und Kritik. Leipzig 1889.
Isadora Duncan, Der Tanz der Zukunft. Eine Vorlesung. Übersetzt und eingeleitet von K. Federn. Leipzig 1903.
Willi Duwe, Die dramatische Form Wedekinds in ihrem Verhältnis zur Ausdruckskunst. Diss. München 1936.
Wilhelm Emrich, Frank Wedekind. Die Lulu-Tragödie. In: Protest und Verheißung. Frankfurt–Bonn 1960, S. 206–222.
–, Die Symbolik von Faust II. Sinn und Vorformen. Bonn [2]1957.
Paul Fechter, Frank Wedekind. Der Mensch und das Werk. Jena 1920.
Gerhard Fricke/Volker Klotz, Geschichte der deutschen Dichtung. Hamburg–Lübeck [10]1964.

Ernst Gystrow, Der Katholizismus und die neue Dichtung. In: Die Gesellschaft. Monatsschrift für Literatur, Kunst und Sozialpolitik. Jahrg XV (1899), Bd. 3, S. 77–86.
Fritz Hagemann, Wedekinds Erdgeist und die Büchse der Pandora. Diss. Erlangen 1926.
Richard Hamann, Der Impressionismus in Leben und Kunst. Köln 1907.
–, Die deutsche Malerei vom Rokoko bis zum Expressionismus. Leipzig 1925.
Richard Hamann/Jost Hermand, Impressionismus. Berlin 1960.
Wolfgang Hartwig, Frank Wedekind. Der Marquis von Keith. Texte und Materialien zur Interpretation. Berlin 1965.
Carl Heine, Wie Wedekind Schauspieler wurde. In: Das junge Deutschland. Monatsschrift für Theater und Literatur. Hg. Deutsches Theater. Berlin 1918, Heft 4, 122 f.
Jost Hermand, Jugendstil. Ein Forschungsbericht (1918–1962). In: Deutsche Vierteljahrsschrift für Literaturwissenschaft und Geistesgeschichte. Jahrg. XXXVIII (1964), S. 70–110 und S. 273–315.
–, Lyrik des Jugendstils. Eine Anthologie. Stuttgart 1964.
Eduard Hoffmann-Krayer und Hanns Bächtold-Stäubli, Handwörterbuch des deutschen Aberglaubens. 10 Bde., Berlin–Leipzig 1927–1942.
Max Horkheimer, Ansprache im Namen der Philosophischen Fakultät der Universität Frankfurt a. M. In: Freud und die Gegenwart. Frankfurt a. M. 1957, S. 31–35. (Frankfurter Beiträge zur Soziologie, Hg. Th. W. Adorno und W. Dirks, Bd. VI.).
Jörg Jesch, Stilhaltungen im Drama Frank Wedekinds. Diss. Marburg 1959.
Ignaz Ježower, Die Rutschbahn. Das Buch vom Abenteurer. Berlin–Leipzig–Wien–Stuttgart (1922).
Robert v. Keudell, Fürst und Fürstin Bismarck. Erinnerungen aus den Jahren 1846 bis 1872. Berlin–Stuttgart 1901.
Elisabeth Klein, Jugendstil in der deutschen Lyrik. Diss. Köln 1957.
Richard v. Krafft-Ebing, Psychopathia sexualis. Eine klinisch-forensische Studie. Stuttgart [6]1891.
Karl Kraus, Gestern. In: Die Gesellschaft. Monatsschrift für Literatur, Kunst und Sozialpolitik. Jahrg. VIII (1892), S. 799–801.
–, Die Büchse der Pandora. In: Literatur und Lüge. München 1958, S. 9–21.
–, (ohne Titel). Die Fackel, Jahrg. V (1903), Nr. 142, S. 15–18.
Alfons Kujat, Die späten Dramen Frank Wedekinds. Ihre Struktur und Bedeutung. Diss. Jena 1959.
Artur Kutscher, Frank Wedekind. Sein Leben und seine Werke. 3 Bde., München 1922–1931.
–, Eine unbekannte Quelle zu Frank Wedekinds Erdgeist und Büchse der Pandora. In:
Samuel Lublinski, Die Bilanz der Moderne. Berlin 1904.
Das Goldene Tor, Jahrg. II (1947), S. 497–505.
Georg Lukács, Zur Soziologie des modernen Dramas. In: Archiv für Sozialwissenschaft und Sozialpolitik, Bd. XXXVIII (1914), S. 303 ff. und S. 662 ff.
–, A modern dráma fejlödésének története. 2 Bde., Budapest 1911.
–, Nachgelassene Schriften. München 1914.
Kurt Martens, Literatur in Deutschland. Studien und Eindrücke. Berlin 1910.
–, Schonungslose Lebenschronik. 3 Bde., Wien–Leipzig–München [3]1921.
Herman Meyer, Rilkes Cézanne-Erlebnis. In: Zarte Empirie. Stuttgart 1963, S. 244–286.
Karl Markus Michel, Der Wolf und das Lamm. In: Heft 9 der Städtischen Bühnen Frankfurt am Main, Spielzeit 1962/63.
Peter Michelsen, Frank Wedekind. In: Deutsche Dichter der Moderne. Ihr Leben und Werk. Hg. B. v. Wiese. Berlin 1965, S. 49–67.

Gertrud Milkereit, Die Idee der Freiheit im Werke von Frank Wedekind. Diss. Köln 1957.
Jakob Minor, Goethes Faust. Entstehungsgeschichte und Erklärung. 2 Bde., Stuttgart 1901.
Arthur Moeller-Bruck, Der Mitmensch. In: Die Gesellschaft. Monatsschrift für Literatur, Kunst und Sozialpolitik. Jahrg. XII (1896), S. 1201–1206.
Friedrich Nietzsche, Gesammelte Werke, Musarionausgabe. München 1922–1929.
Dora und Erwin Panofsky, Pandora's Box. The Changing Aspects of a Mythical Symbol. New York 1956.
Wolfdietrich Rasch, Tanz als Lebenssymbol im Drama um 1900. In: Zur deutschen Literatur seit der Jahrhundertwende. Stuttgart 1967, S. 59–78.
Walter Rehm, Der Renaissancekult um 1900 und seine Überwindung. In: Zeitschrift für dt. Philologie. Bd. LIV (1929), S. 296–328.
Paul Requadt, Jugendstil im Frühwerk Thomas Manns. In: Deutsche Vierteljahrsschrift für Literaturwissenschaft und Geistesgeschichte. Jahrg. XL (1966), S. 206–216.
Paul Rilla, Auseinandersetzung mit Wedekind. In: Essays. Berlin 1955, S. 193–201.
Arthur Schopenhauer, Sämtliche Werke. Hg. A. Hübscher. Leipzig 1937–1941.
Karl Heinz Schreyl, Über das Plakat. In: Format. Mitteilungsblatt des Bundes Deutscher Gebrauchsgraphiker. Jahrg. I (1965), Nr. 4, S. 50–57.
Klaus Schröter, Anfänge Heinrich Manns. Zu den Grundlagen seines Gesamtwerks. Stuttgart 1965.
Heinz Ludwig Schulte, Die Struktur der Dramatik Frank Wedekinds. Diss. Göttingen 1954.
Hans Schwerte, Faust und das Faustische. Stuttgart 1962.
Georg Simmel, Schopenhauer und Nietzsche. Ein Vortragszyklus. München–Leipzig 1907. [3]1923.
–, Philosophische Kultur. Gesammelte Essays. Leipzig 1911.
Edgar Steiger, Der Kampf um die neue Dichtung. Kritische Beiträge zur Geschichte der zeitgenössischen Litteratur. Leipzig 1889.
–, Das Werden des neuen Dramas. 2 Bde., Berlin 1898.
Martin Stern, Zur Entstehungsgeschichte des Stückes. In: Hugo von Hofmannsthal, Silvia im Stern. Bern–Stuttgart (o.J.), S. 200–205.
Dolf Sternberger, Panorama oder Ansichten vom 19. Jahrhundert. Hamburg [2]1946.
Horst Stobbe, Bibliographie der Erstausgaben Frank Wedekinds. In: Almanach der Bücherstube auf das Jahr 1921. Hg. H. Stobbe, München 1920, S. 58–70.
Peter Szondi, Theorie des modernen Dramas. Frankfurt [3]1963.

Register

Werkregister

Namenregister